JN234634

認知行動療法の
臨床ワークショップ

サルコフスキスとバーチウッドの面接技法

丹野義彦　編著

金子書房

目　次

1章　認知行動療法の動向
　　　──駒場ワークショップの意義　　　　　　　丹野義彦　1

　1．イギリスの認知行動療法の最先端　*1*
　2．抑うつの認知理論　*2*
　3．抑うつの認知療法とその効果　*3*
　4．認知行動療法の世界的動向　*4*
　5．世界の認知行動療法　*6*
　6．日本の認知行動療法　*7*
　7．ワークショップの有効性　*8*
　8．本書の構成　*10*

2章　サルコフスキスはどのような臨床研究をしているか
　　　　　　　　　　　　　　　　　　　　　　杉浦義典　13

　1．個別性と一般性のバランス　*13*
　2．認知行動理論の概略　*14*
　3．強迫性障害の研究　*16*
　4．パニック障害の研究　*22*
　5．心気症の研究　*27*
　6．恐怖症の研究　*29*
　7．医療場面での意志決定の研究　*31*
　8．その他の医療場面への応用　*33*
　9．経験に裏づけられた臨床的介入　*34*
　10．おわりに　*35*

3章　不安障害の認知行動療法
　　　　──サルコフスキスのワークショップ

　　　　　　　　　　　　　　　　　　　　　　　　　ポール・サルコフスキス
　　　　　　　　　　　　　　訳／堀越　勝，杉浦義典，毛利伊吹，森脇愛子
　　　　　　　　　　　　　　　佐々木淳，菅　弥生，小堀　修，竹下賀子　39

1．経験に裏づけられた臨床的介入　39
2．理論：不安の認知理論　40
3．臨床実践：不安への認知行動療法　44
4．効果研究：不安の認知行動療法の効果　67
5．実験研究：不安の認知行動療法の実験研究　71
6．今後の課題　73

4章　バーチウッドはどのような臨床研究をしているか

　　　　　　　　　　　　　　　　　　　　　　　　　　　　　石垣琢麿　75

1．分裂病の包括的心理学モデル　77
2．幻聴の認知療法　79
3．早期介入・再発防止　83
4．分裂病の抑うつ　87
5．家族介入・家族教育　89
6．その他　91

5章　精神分裂病の認知行動療法
　　　　──バーチウッドのワークショップ

　　　　　　　　　　　　　　　　　　　　　　　　　マックス・バーチウッド
　　　　　　　　　　　　　　訳／石垣琢麿，望月寛子，森本幸子，山崎修道　95

1．精神分裂病の心理学的治療はなぜ必要か　95
2．妄想の精神病理学　97
3．幻聴の精神病理学　101

4．幻聴の認知的アセスメント　　*103*
        5．幻聴への認知的介入　　*110*
        6．認知行動療法の効果　　*117*

6章　精神分裂病治療における認知行動療法の役割　　池淵恵美　*121*

        1．精神分裂病に伴う障害　　*121*
        2．精神分裂病治療の枠組みと認知行動療法　　*125*
        3．対人技能の改善——生活技能訓練（social skills training）　　*132*
        4．新たな発展方向　　*136*

サルコフスキスとバーチウッドを迎えて
　——あとがきにかえて　　　　　　　　　　　　　　　　丹野義彦　*147*

　　　　　　　　　　　　　　　　　　　　　　　装幀／池村めぐみ

　　　2002年8月から，Schizophrenia の訳語は，「精神分裂病」から「統合失調症」に変更された。ワークショップが行われた2001年9月には「精神分裂病」という訳語を用いていたため，本書では「精神分裂病」という訳語のままとした。

1 章

認知行動療法の動向
──駒場ワークショップの意義

丹野義彦

　本書は，イギリスのサルコフスキスとバーチウッドによる認知行動療法のワークショップを紹介したものです。ここでは，本書の企画の意図と，ふたりのワークショップの意義について述べたいと思います。

1．イギリスの認知行動療法の最先端

　ふたりは世界的に著名な臨床心理学者です。サルコフスキスは不安障害の治療のエキスパートであり，バーチウッドは精神分裂病の治療のエキスパートです。

　ふたりは，アメリカの同時多発テロの直後，2001年9月に，日本心理臨床学会の招きで来日しました。日本大学で開かれた大会を国際的な大会にしようと，大会準備委員会（委員長は横田正夫日本大学教授）がふたりを招いたのです。そこで，以前からふたりを知っていた筆者が，来日のお世話をすることにしました。

　心理臨床学会で，サルコフスキスは「不安障害の理論と治療」というタイトルで講演を行い，バーチウッドは「精神分裂病の心理学的マネジメント」というタイトルで講演を行いました。また，心理臨床学会とは独立に，東京大学駒場キャンパスにおいて，それぞれ3時間のワークショップを開きました。こうした講演やワークショップを通して，イギリスの認知行動療法の最先端に触れることができました。

ふたりの講演やワークショップは大盛況でした。日本大学での講演は，300人収容できる大教室が超満員となりました。多くの方が立ち見となり，さらには，廊下で聴いてメモを取っている方も見られるほどでした。また，ワークショップには50人ほどの参加者がありました。認知行動療法に対する日本の臨床家の関心はきわめて高いことがわかりました。そこで，こうした盛況をふまえて，ぜひともふたりの仕事を記録して広めたいと思い，本書の出版を企画しました。

2．抑うつの認知理論

　認知行動アプローチは，ベックの認知療法から出発しています。ベックの抑うつ理論は図1-1のようにあらわされます。

　この理論は，エリスのABC図式を枠組みにしています。Aは悩みのきっかけとなる出来事やストレスのことをさし，Bは，出来事の受け取り方や信念をさします。Cは，信念の結果としておこってくる悩みや抑うつ感情などをさします。ベックはABC図式を抑うつに当てはめました。つまり，抑うつ感情Cを生み出すものは，外界の出来事Aではなくて，その出来事をどう解釈するかという認知Bなのです。これまでは，うつ病の認知障害は，感情障害の結果であると考えられていました。ベックは，これを逆転させ，認知障害が感情障害を生じるとしたわけです。異常心理学におけるひとつのパラダイム・シフトといってよいでしょう。こうしたコペルニクス的な発想転換により，認知を変えれば抑うつが軽減されるという認知療法が出てきました。

〈A：誘発する出来事〉　〈B：認知〉　〈C：感情〉

ストレッサー → 自動思考 → 抑うつ症状
　　　　　　　　↑
　　　　　　推論の誤り
　　　　　　　　↑
　　　　　抑うつスキーマ
　　　　　（抑うつの素因）

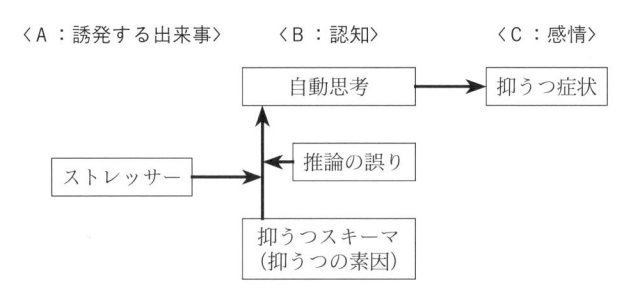

図1-1　抑うつの認知の歪み理論

さらに、ベックは、抑うつスキーマ、推論、自動思考という3つのレベルの認知を分けて考えます。第1の自動思考とは、たとえば「私は不幸せだ。私は失敗者だ。私には何のとりえもない」といった、否定的な認知のことです。こうした自動思考が直接に抑うつ感情をひきおこすのです。

　第2の推論のレベルについて、ベックは、抑うつ的な人の推論は、過度の一般化や選択的注目など、推論の誤りがあるとしています。

　第3の抑うつスキーマとは、より深層にある認知構造や信念体系のことをさします。たとえば、「他の人に嫌われたら、幸せになれない」とか「仕事の上で失敗したら、人としても失敗者である」といった信念のことです。抑うつスキーマは、ストレスによって活性化され、それによって自動思考を生み出します。

3．抑うつの認知療法とその効果

　認知療法の技法には、行動的なものと認知的なものがあります。行動的技法には、自己モニタリングや活動スケジューリングなどが含まれます。認知的技法の基本は、自動思考レベルの技法とスキーマレベルの技法の2つに分けられます。自動思考レベルの技法の代表としては、非機能的思考記録（DRDT）があります。これは、用紙を4つの列に分け、「出来事」の欄に、落ち込んだ状況を記録し、「自動思考」の欄に、そのとき頭に浮かんだ自己批判的な考えを具体的に書き出すものです。そして自動思考がどんな「推論の誤り」に当てはまるのかを考え、「合理的な思考」の欄で、合理的な認知のしかたを考え、自己擁護的な認知で置き換えます。このような練習を繰り返して、抑うつ的な認知を変えていくわけです。一方、抑うつスキーマを変える技法には、たとえば下向き矢印法などがあります。

　認知療法の効果について、トワドルらは次のように総説しています（Twaddle & Scott, 1991）。

　a）単極性で、非精神病性で、急性の外来患者の抑うつ治療については、認知療法は薬物療法と同等の効果がある。効果が劣るという報告はない。

　b）治療期間が同じならば、認知療法は、他の心理療法よりもすぐれている。

c）認知療法と薬物療法を併用しても，ネガティブな効果はないようである。しかし，それによって効果が高まるのかどうかについては，明らかではない。

　d）認知療法は，抑うつの再発に対する予防効果がある。

　また，アメリカ心理学会は，効果のある心理的治療のガイドラインを作っていますが（Crits-Christoph, et al., 1995），そのリストにも認知行動療法が多くとりあげられています。それだけ治療効果が認められているということです。

4．認知行動療法の世界的動向

　認知療法は，①心理アセスメント，②治療，③異常心理学の3つの領域が，互いに密接な関連をもって発展しました。図1－2に示すように，認知療法・アセスメント・異常心理学の3領域は統合されて「認知的アプローチ」ともいうべき潮流になっています。治療の領域においては，認知療法以外にも，認知を重視する技法がいろいろ提案されてきました。エリスの論理情動療法やマイケンバウムのストレス免疫訓練などですが，こうした技法を総称して「認知療法」と呼ぶことがあります。また，アセスメントにおいては，質問紙法や自由再生法や構造化面接法が多く開発され，「認知アセスメント」と呼ぶべき分野が成立してきました。異常心理学においても，多くの理論が提出され，「認知病理学」と呼ばれる分野となっています。さらに，図1－2に示すように，認知アプローチと，これまでの行動アプローチを統合した，認知行動アプローチという新たな研究動向が見られるようになっています。

　ベックの理論は，その後，図1－3に示すように，抑うつ以外の症状にも適用されるようになりました。たとえば，不安の領域では，パニック障害・強迫性障害・対人恐怖などの症状に適用されるようになっています。また，精神分裂病の症状についても，妄想や幻覚などの症状に適用されるようになりました。こうした展開の理論的な流れについては，丹野（2001）が詳しく述べています。ほかにも，摂食障害や人格障害などに対しても認知療法は適用されています。このように，認知療法は，いまや心理療法のなかで一定の地位を確立しています。

　認知療法の解説書も何冊か出ています。翻訳としては，ベックら（Beck, et

al., 1979），ドライデンとレントゥル（Dryden & Rentoul, 1991），サルコフスキス（Salkovskis, 1996），ハッセルとハーセン（Hasselt & Hersen, 1996）などがあげられます。国内のものとしては，井上（1992），坂野（1995），大野・小谷津（1996），坂野（2002），井上（2002）などがあります。また，クライエントが自分で認知療法を自習するための本として，バーンズ（Burns, 1980）や，グリーンバーガーとパデスキー（Greenberger & Padesky, 1995）などがあります。

```
┌─────────────────┐      ┌─────────────────┐
│ 認知的アプローチ │─────▶│ 認知行動アプローチ │
│ 認知心理学       │      │ 認知行動理論     │
│ 認知病理学       │      │ 認知行動病理学   │
│ 認知アセスメント │      │ 認知行動アセスメント │
│ 認知療法         │      │ 認知行動療法     │
└─────────────────┘      └─────────────────┘
                                ▲
┌─────────────────┐             │
│ 行動的アプローチ │─────────────┘
│ 行動主義心理学   │
│ 行動病理学       │
│ 行動アセスメント │
│ 行動療法         │
└─────────────────┘
```

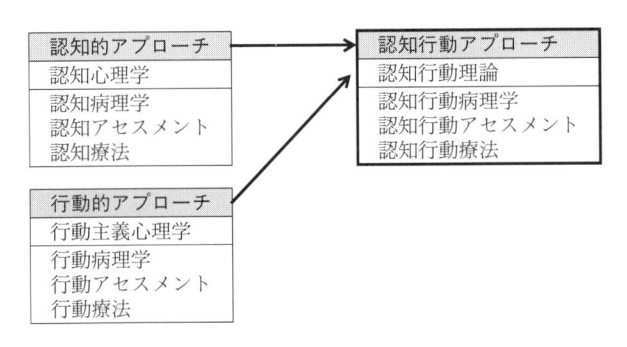

図1－2　認知行動アプローチの成立

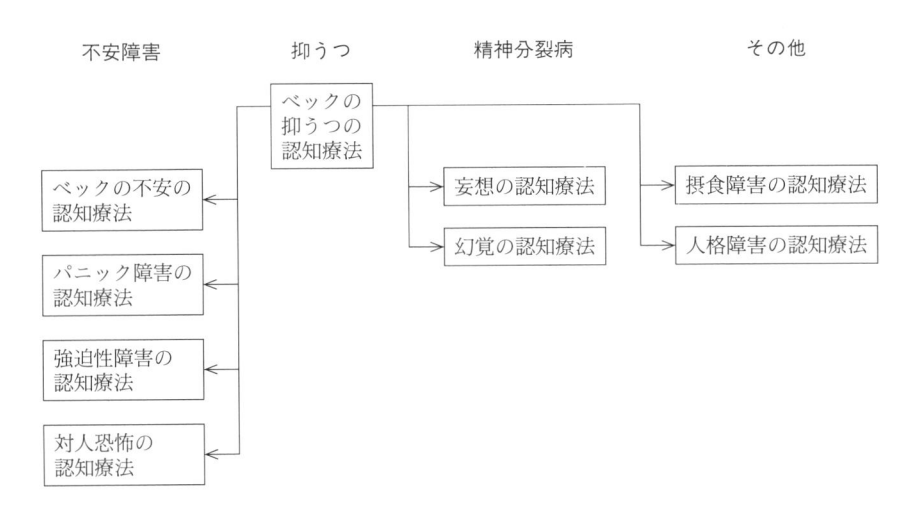

```
   不安障害          抑うつ          精神分裂病          その他
                ┌──────────┐
                │ ベックの   │
                │ 抑うつの   │
                │ 認知療法   │
                └──────────┘
┌──────────┐    │    │      ┌──────────┐      ┌──────────────┐
│ベックの不安の│◀──┤    ├─────▶│妄想の認知療法│─────▶│摂食障害の認知療法│
│ 認知療法   │    │    │      └──────────┘      └──────────────┘
└──────────┘    │    │      ┌──────────┐      ┌──────────────┐
┌──────────┐    │    └─────▶│幻覚の認知療法│─────▶│人格障害の認知療法│
│パニック障害の│◀──┤           └──────────┘      └──────────────┘
│ 認知療法   │    │
└──────────┘    │
┌──────────┐    │
│強迫性障害の│◀──┤
│ 認知療法   │    │
└──────────┘    │
┌──────────┐    │
│対人恐怖の  │◀──┘
│ 認知療法   │
└──────────┘
```

図1－3　認知行動療法の適用の拡大

このように良質の解説書は出ているのですが，認知行動療法はとても早いスピードで発展しています。次々といろいろな技法が開発され，認知行動療法の適用される症状は急速に拡大しています。本書では，これまで紹介されることの少なかった不安障害や精神分裂病の認知行動療法について，その最前線を伝えることを意図しています。

5. 世界の認知行動療法

認知行動療法については，世界のいろいろな国々で学会が組織されています。

アメリカには，行動療法促進学会（Association for Advancement of Behavior Therapy：AABT）があります。2001年大会はフィラデルフィアで，2002年大会はレノで開かれました。2003年大会はボストンで開催されます（ホームページは http://www.aabt.org）。

イギリスには，英国認知行動療法学会（British Association of Behavior and Cognitive Psychotherapies：BABCP）があります。2000年大会はロンドンで，2001年大会はグラスゴウで，2002年大会はヨークで開かれました。2003年大会はバンゴウの予定です（ホームページは http://www.babcp.org.uk）。

ヨーロッパには，欧州認知行動療法学会（European Association of Behavior and Cognitive Therapies：EABCT）があります。2001年大会はイスタンブールで，2002年大会はオランダのマーストリヒトで開かれました（ホームページは http://www.eabctcongress2001.org）。

このような各国の学会を統合するのが世界認知行動療法学会（World Congress of Behavioral and Cognitive Therapies：WCBCT）です。大会は3年に一度開かれます（ホームページは http://www.aabt.org/world_congress/index.html）。1995年のデンマーク大会では，有名な強迫認知ワーキンググループ（Obsessive Compulsive Cognitions Working Group）が作られ，サルコフスキスの理論がその中心となりました（20頁参照）。2001年のWCBCTはカナダのバンクーバーで大会が開かれ，筆者をはじめ多くの日本人が参加しました。

6．日本の認知行動療法

　日本には，これまで「日本行動療法学会」がありましたが，2001年には「日本認知療法学会」が発足しました。その第1回大会は京都府立医科大学で開かれました。また，2001年の世界認知行動療法学会（WCBCT）のバンクーバー大会では，2004年の大会が日本の神戸で開かれることに決まりました（ホームページは http//www.congre.co.jp/WCBCT2004/）。

　このように，2001年は，日本認知療法学会が発足したり，2004年の神戸大会開催が決まったり，サルコフスキスとバーチウッドの来日があったり，ちょうど日本の「認知療法元年」のような年だったといえるでしょう。

　これからは，2004年の神戸大会に向けて，日本の臨床心理士が結集していくものと思います。これまでの日本の臨床心理学は，外国の心理療法を輸入するだけの受信型でしたが，これからは日本の理論を海外にアピールしていく発信型にならなければなりません。臨床心理学に国際化が必要なことは，河合隼雄氏も述べています（河合, 2001）。発信型への転換のきっかけとして，国際学会の主催は大きな効果があります。今後，日本でも国際学会がもっと開かれるようにしたいものです。今回のサルコフスキスとバーチウッドの来日は，神戸大会の準備という意味も持っています。

　認知療法というと，わが国では，精神科医の仕事と考える傾向があります。しかし，世界的に見ると，臨床心理士が認知行動療法を行うことも多いようです。たとえば，イギリスでは，臨床心理士の仕事は，①認知行動療法，②心理アセスメント，③実証にもとづく治療評価，④リサーチという4つのキーワードにまとめられるということです（Hall & Marzillier, 1992）。アメリカでも，前述の心理的治療のガイドラインに見られるように，アメリカ心理学会が認知行動療法を高く評価しているのです。

　しかし，日本の臨床心理学には認知行動療法が定着しているとは言えないでしょう。認知行動療法の講義や実習を取り入れている大学院はまだ少ないと思われます。その意味では，認知行動療法家を育てていくことがこれからの課題になります。そこで注目されるのが「ワークショップ」という形式です。

7．ワークショップの有効性

　本書のタイトルは『認知行動療法の臨床ワークショップ』ですが，「ワークショップ」とは，臨床関係者にとっては特別な意味を持っています。臨床系の学会では，「学会」と「ワークショップ」は，たまたま一緒に行われるものの，まったく別のものです。

　「学会」は，研究の成果を発表し，議論する場です。学会は，アカデミックな研究の発表の場であり，シンポジウムや個人発表など，研究の成果を発表する場です。海外の認知行動療法の学会では，事例の提示などはほとんどなく，多数例研究にもとづく発表や効果研究などが主になっています。また，実験研究の発表も多く見られます。学会とは，アカデミックな知識を共有して議論することが目的です。ですから，個々のセッションでお金をとられるということはありません。

　これに対して「ワークショップ」は，臨床のスキルを学ぶための研修会であり，臨床家を育てる場です。研究の場ではありません。事例などを豊富に提示して，臨床家にわかりやすい形で研修が行われます。ワークショップでは，1回ごとにお金をとられます（認知行動療法の場合は，半日で1万円，1日で2万円くらいが相場のようです）。

　筆者は，バンクーバーのWCBCTで認知行動療法のワークショップに参加してみたのですが，その質の高さに驚きました。

　第1は，教育システムが明確で，内容がわかりやすいことです。具体的なアセスメントのしかた，技法の使い方，注意点などがゆっくりと具体的に話されます。講師は，参加者の顔をひとりずつ見ながら，ゆっくりとていねいに話します。質問を歓迎し，質問をなるべく多く出すように話すのです。参加者に気を遣っていることがよくわかります。プロジェクターの図表やハンドアウトも，実にわかりやすく書かれています。資料は参加者の立場で作られています。講師がワークショップの準備に膨大な時間を使っていることがよくわかります。

　このことは，今回のサルコフスキスとバーチウッドのワークショップでも当てはまりました。発表のプレゼンテーションはかなり上手でした。具体的なアセスメントのしかた，治療技法の使い方などをゆっくりと具体的に話されまし

た。プロジェクターの図表類もわかりやすく作られていました。

　第2に、ワークショップでは、事例を具体的に示してくれます。たいていはビデオを使います。講師がクライエントに認知行動療法を行う過程が公開されます。こうしたワークショップに出れば、明日からでもこの技法を臨床で使えるという気にさせてくれます。

　サルコフスキスとバーチウッドも、ビデオで事例を提示しながら説明していました。ふたりが認知行動療法を行うシーンが公開されました。ふたりは理論家として世界に知られているのですが、そうした事例のビデオを見ると、臨床家としても一流であることがよくわかりました。

　他のワークショップでは、ロールプレイを入れることもあります。途中で、ロールプレイを入れて、アセスメントのしかたや応答のしかたを実習します。ロールプレイも臨床スキルを効果的に習得する方法のひとつです（ただし、英語のわからない人にとってはやや負担です。筆者はあるワークショップで、時差ボケのためついつい居眠りをしてしまったところ、気づいたら、ロールプレイが始まっていて、孤立してしまったことがありました）。

　第3に、ワークショップでは、講師に対する評価が厳しく行われます。終わったあと、参加者は、評価シートに講師の評価を記入します。この評価シートはきわめて詳しいものとなっています。事例の提示は適切だったか、視聴覚機器の使い方やロールプレイの実習は適切だったか、参加者からの質問に対する答えは十分だったか、内容は新しいものだったか、といったことを細かくチェックします。ワークショップは、お金をとる分だけ、評価は厳しくなるのでしょう。今回のふたりのワークショップでは、施設費程度の実費しか徴収しなかったので、講師に対する評価は行いませんでした。

　このような講師の評価システムが、講師を鍛えることは確かだと思います。講師はあらゆる面で手が抜けないようになっています。欧米の臨床家は、プレゼンテーションのしかたがたいへん上手であることが多いのですが、これはたぶんワークショップで鍛えられているからではないでしょうか。ワークショップによって講師も鍛えられるのです。これは、駒場ワークショップで通訳を担当したハーバード大学の堀越勝さんの意見でもあります（ちなみに堀越さんも学会などでのプレゼンテーションもたいへん上手です）。

　以上のように、ワークショップという形式は、臨床のスキルの習得には不可

欠のシステムです。最近では，日本の臨床系の学会でもワークショップを取り入れるようになりましたが，これからは講師の評価システムを導入して，講師（臨床指導者）を育てていくことを考える必要があるでしょう。

8. 本書の構成

本書は，サルコフスキスとバーチウッドのワークショップを中心に構成されています。2，3章は不安障害の認知行動療法について，4，5章は精神分裂病の認知行動療法について述べています。まず，それぞれの研究や臨床の実績を解説したあと，ワークショップを収録しました。また，精神分裂病の認知行動療法については，日本ではまだなじみのない読者も多いと考えられましたので，6章では日本での取り組みについて紹介しました。本書が，認知行動療法の普及に少しでも役立つことを願っています。

●引用文献

Beck, A., Rush, A.J., Shaw, B.F. & Emery, G. 1979 *Cognitive therapy of depression.* 坂野雄二（監訳）1992　うつ病の認知療法　岩崎学術出版社

Burns, D.D. 1980 *Feeling Good: the new mood therapy.* 野村総一郎・夏刈郁子・山岡功一・成瀬梨花（訳）1990　いやな気分よ，さようなら――自分で学ぶ「抑うつ」克服法　星和書店

Crits-Christoph, P., Frank, E., Chambless, D.L., Brody, C. & Karp, J.F. 1995 Training in empirically validated treatments: what are clinical psychology students learning? *Professional Psychology,* 26, 514-522.

Dryden, W. & Rentoul, R. (Eds.) 1991 *Adult clinical problems: a cognitive-behavioural approach.* London: Routledge. 丹野義彦（監訳）1996　認知臨床心理学入門　東京大学出版会

Greenberger, D. & Padesky, C. 1995 *Mind over mood.* 大野裕（監訳）うつと不安の認知療法練習帳　創元社

Hall, J. & Marzillier, J. 1992 What is clinical psychology? In J. Marzillier & J. Hall (Eds.) *What Is Clinical Psychology?* Third Edition. Oxford University Press. Pp. 1-31.

Hasselt, V. & Hersen, M. 1996 *Sourcebook of psychological treatment manuals for adult disorders.* Plenum Press. 坂野雄二（訳）2000　エビデンスベイスト心理治療マニュアル　日本評論社

井上和臣　1992　認知療法への招待　金芳堂

井上和臣　2002　うつ病：認知的側面　下山晴彦・丹野義彦（編）講座臨床心理学4：異常心理学II　東京大学出版会

河合隼雄　2001　大学の国際協力と競争　現代の高等教育　2001年1月号, 49-53．

大野裕・小谷津孝明（編）1996　認知療法ハンドブック（上下巻）　星和書店

坂野雄二　1995　認知行動療法　日本評論社

坂野雄二　2002　パニック障害　下山晴彦・丹野義彦（編）講座臨床心理学3：異常心理学I　東京大学出版会

Salkovskis, P.M. (Ed.) 1996 *Trends in cognitive and behavioral therapies*. Chichester: John Wiley and Sons. 坂野雄二・岩本隆茂（監訳）1998　認知行動療法——臨床と研究の発展　金子書房

丹野義彦　2001　エビデンス臨床心理学——認知行動理論の最前線　日本評論社

Twaddle, V. & Scott, J. 1991 Depression. In W. Dryden & R. Rentoul (Eds.) *Adult clinical problems: a cognitive-behavioural approach*. London: Routledge. 坂本真士（訳）1996　認知臨床心理学入門　東京大学出版会

2 章
サルコフスキスはどのような臨床研究をしているか

杉浦義典

　サルコフスキスは，強迫性障害やパニック障害といった不安障害の研究で世界的に知られています。ベック（Aaron Beck）やラックマン（Jack Rachman）が認知行動理論の第一世代だとすれば，サルコフスキスは，クラーク（David M Clark）などとともに，第二世代のリーダーとして多くの影響を与えています（ちなみに，クラークとサルコフスキスはともにラックマンの学生でした）。
　サルコフスキスの研究は多岐にわたり，不安障害以外に，心気症の研究や健康心理学の分野にも及んでいます。ここでは，サルコフスキスの研究のうち，とくに評価の高い強迫性障害の研究を中心に，パニック障害，心気症，恐怖症，医療場面への応用について紹介します。

1．個別性と一般性のバランス

　各論に入る前に，サルコフスキスの理論の魅力について簡単にふれておきます。サルコフスキスの研究のスタイルは，臨床心理学の研究者にとって，非常に優れた模範となります。
　臨床心理学の目的は，最終的には心理的問題を抱えている個々の人を理解し，援助することです。そのため，個別性や具体性が重要となります。さらに，抑うつ，不安障害といった問題は，非常に難しい問題です。よって，一般的な心理過程に関するモデルや理論をそっくりあてはめるだけでは限界があり

ます。それゆえに，ともすれば，理論や研究は，臨床と対立するものであるかのように言われることもあります。しかし，多様で難しい臨床的な問題に対処するためには，ある程度の一般性を持った理論が指針として必要であることは言うまでもありません。また，一般性があるということは，正常な過程と病的な過程とで共通するメカニズムを明らかにできるということも意味します。

　サルコフスキスの研究は，具体性と一般性のバランスを理想的な形で実現しています。つまり，(a)強迫性障害，心気症，というように個々の問題に即した理論である，と同時に，(b)一般的な心理過程に関する枠組みを用いている，ということです。サルコフスキスの個々の研究にふれていただければ，このようなバランスのよさがわかっていただけると思います。

2．認知行動理論の概略

　最初に，サルコフスキスの研究の基本的な枠組みとなる，認知行動理論の概略を説明します。認知行動理論は，ベック（Beck, 1976）の認知療法などを起源とする臨床心理学のパラダイムです。認知行動理論の基本的な命題は，「人が否定的な気分になるのは，出来事そのもののためではなくて，その出来事の意味をどう解釈するかによる」というものです。出来事に意味を与える過程は，認知的評価，解釈などと呼ばれています。論理情動療法の創始者であるエリス（Ellis, 1962）は，この過程をABCモデルとして表現しています。Aは Activating Events（引き金となる出来事），Bは Belief（信念，認知），Cは Consequence（結果としてのネガティブな感情）の頭文字です。抑うつ，不安などのネガティブな感情を生じさせるのは，Aの出来事ではなく，Bの認知というわけです。ABCモデルは覚えやすいので，以下でも説明や図の中で使います。

　この枠組みは，抑うつ，不安などのさまざまな臨床的な問題に適用されています。さらにもっと広く，認知的評価理論という形で，感情に関する一般理論にもなっています（表2－1）。つまりとても汎用性の高い枠組みなのです。

　サルコフスキスの業績は，一見したところ認知行動理論があてはまりにくいと考えられた現象にも，鮮やかにこの枠組みを適用したところにあります。議論の基盤として，認知行動理論について，もう少し詳しく紹介しておきましょ

表2-1　認知行動理論の基本

	A	B	C
Ellisの論理情動療法	Activating Events (引き金となる出来事)	Belief (信念，認知)	Consequence (結果としてのネガティブな感情)
Beckの認知療法	ライフイベント	自動思考スキーマ	不安，抑うつ
認知的評価理論	ライフイベント	認知的評価	各種の情動，対処

う。なお，日本語で読める認知行動理論の総括的な紹介としては丹野（2001）があります。

認知的評価

認知行動理論の骨子となる認知的評価については，その内容と形式の双方について詳細な検討がなされています。

内容特異性

まず，認知的評価の内容と，体験される感情の種類には対応があるという仮説があります（Beck, 1976）。この仮説によれば，何らかの危険が自分に迫っていると認知されると不安が生じ，自分が何かを失ってしまったと認知すると抑うつが生じるとされます。ベックらは，不安と抑うつのそれぞれに典型的な認知を調べました。その結果，不安の認知は「もし病気になって寝たきりになったらどうなるだろう」「何か恐ろしいことが起きるだろう」といったものでした。一方，抑うつの認知は「私はただ一人の友人を失った」「私はもう何もうまくいかない」といったものでした（Beck, et al., 1987）。

自動思考とスキーマ

認知的な評価を考える場合，それが頭のなかでどのように作られるのかということも大切です。一般に，感情は急激に生じるものとされています。よって，感情に先立つ認知も，じっくり考えた結論というよりも，非常に素早く自動的に浮かぶものと考えられます。ベック（Beck, 1976）はこのような性質をさして，自動思考（automatic thought）と呼んでいます。

一方，そのように素早い認知が生じるためには，それに相応のメカニズムが頭のなかにあるはずです。ある状況に出会って初めて考えていたのでは，それほど早く結論が出るとは考えにくいわけです。この問題に対して，ベック（Beck, 1976）はスキーマというメカニズムを考えています。スキーマは，「も

し〜な状況であれば，……という意味である」といった回答を貯蔵したデータベースのようなものです。不安や抑うつに悩む人の場合，さまざまな状況について「〜は危険を意味する」「〜は失敗を意味する」といった回答が意識しやすくなっており，さまざまな状況で，否定的な紋切り型の評価をしてしまうと考えられます。紋切り型の評価が繰り返されるために，不安や抑うつが持続すると考えられています。

対　処

認知行動理論は，人が主観的に行う認知的評価に着目しています。ゆえに，言語による心理療法によって不安や抑うつを克服することが可能であると考えます。言い換えれば，生物学的な理論などと比較して，人間の能動性を重視した考え方なのです。しかし，紋切り型の自動思考などと聞くと，あまり能動的には感じられないかもしれません。

実は自動思考に加えて，重要な要因がもう一つあります。それは，人が否定的な認知や感情を受けて，それに対してどのように対処をするかということです。対処は自動思考とは異なり，能動的な現象です。人は対処をすることによって，紋切り型の自動思考の言うがままにはならないこともできるのです。

対処は，状況や認知や感情と相互作用しています。対処をすることで，否定的な認知や感情が和らぐことがあります。問題となる出来事自体を解決できる場合もあります。逆に，対処が皮肉にも否定的な認知や感情を強め，問題を悪化させてしまう場合もあります（杉浦，1999；2001a；2001b）。

サルコフスキスは，（主観的に評価された）危険を避けるための行動を「安全希求行動」と呼び，不安の維持に重要な役割を果たしているとしています。

3．強迫性障害の研究

強迫性障害の研究は，サルコフスキスの名を世界に知らしめた画期的なものです。強迫性障害は，自分でも不合理だと思う考えがひとりでに浮かんできて，しつこく繰り返される強迫観念と，駆り立てられるように，しないではいられないと感じて繰り返される強迫行為という2種類の症状からなっています。DSM－IV（APA, 1994）による定義を表2－2に示しました。強迫観念

表2-2　強迫症状：Obsessions and Compulsions

強迫観念
(1) 反復的，持続的な思考，衝動または心像であり，それは障害の期間の一時期には，侵入的で不適切なものとして体験されており，強い不安や苦痛をひきおこすことがある。
(2) その思考，衝動または心像は，単に現実生活の問題についての過剰な心配ではない。
(3) その人は，この思考，衝動または心像を無視したり抑制したり，または何か他の思考または行為によって中和しようと試みる。
(4) その人は，その強迫的な思考，衝動または心像が（思考吹入のように外部から強制されたものではなく）自分自身の心の産物であると認識している。

強迫行為
(1) 反復的行動（例：手を洗うこと，順番に並べること，確認すること）または心のなかの行為（例：祈ること，数を数えること，声を出さずに言葉を繰り返すこと）であり，その人は強迫観念に反応して，または厳密に適用しなくてはならない規則にしたがって，それを行うように駆り立てられていると感じている。
(2) その行動や心のなかの行為は，苦痛を予防したり，緩和したり，または何か恐ろしい出来事や状況を避けることを目的としている。しかし，この行動や心のなかの行為は，それによって中和したり予防したりしようとしたものとは現実的関連をもっていないし，または明らかに過剰である。

という認知的な症状が前面に出ているにもかかわらず，強迫性障害の認知行動理論は比較的遅れていました。気分障害と呼ばれるうつ病について最も早く認知行動理論が進歩したことを考えると，皮肉にも思えますが，強迫性障害を，認知という観点から理解する難しさは，強迫観念が，いわゆる認知的評価とは質が異なることによります。この点をサルコフスキスは見事に解決しました（Salkovskis, 1985；1996）。

引き金となる出来事としての強迫観念

ベックは，強迫観念がうつ病などで見られる自動思考とは異なることを指摘しています。しかし，どのように異なるのかが明確にされていない点を，サルコフスキスは指摘しました。そのうえで，強迫観念と自動思考の違いを，表2-3のようにまとめました。重要な点は，自動思考の場合，それを体験した人はその内容を信じているのに対し，強迫観念は，それを体験した人にとって非合理で異質なものと感じられる点です。自動思考の場合，その内容が本人に

表 2 − 3　強迫観念と自動思考の差異 (Salkovskis, 1985 より引用)

	強迫観念	自動思考
意識との関係	意識へ侵入する	意識と並行する
気づく可能性	非常に容易	訓練しても難しいことがある
侵入性	高い	低い
合理性	非合理的	合理的
信念との関係	一貫しない（自我違和的）	一貫する（自我親和的）
外的刺激との関係	部分的	部分的
どこから生じているか	自分のなか	自分のなか
形　式	言語・イメージ・衝動	言語・イメージ
内　容	個人特有	個人特有

とってもっともらしいからこそ，その内容に合致した感情や行動が生じるわけです。とすると，強迫観念は認知的な事象でありながら，ABCモデルのBeliefの位置には座りが悪いと考えられます。

　ここで，サルコフスキスは大胆な発想の転換を行います。強迫観念は認知ではありますが，感情や行動を直接規定する認知的評価（ABCモデルのB）ではなく，認知的評価を誘発する出来事（ABCモデルのA）の位置に据えられました。つまり，強迫観念は出来事に対する認知的評価ではなく，解釈の対象となる出来事として扱われることになったのです。

　強迫観念を引き金となる出来事として扱う根拠があります。それは，ラックマンらによる健常者の強迫観念の研究です（Rachman & de Silva, 1978）。ラックマンは，健常者の84%が強迫性障害の人の強迫観念と同様な内容の思考を体験していることを見出しました。その後の研究では，この体験率は100%に近い数値が得られています（Purdon & Clark, 1993）。強迫性障害の患者と比較したところ，健常者の強迫観念は，よりコントロール可能で，不快感も低いものでした。ここからわかることは，強迫観念のような思考は誰でも体験していること，そして，健常者の場合はそれが格段の苦痛をもたらすものではないということです。つまり，強迫観念は外界でおこるさまざまな出来事と同様に，それを体験した人が意味づけをする余地のある刺激であるということです。

　外的な出来事ではなく，個人のなかで生じている認知的事象を刺激ととらえることで，認知行動理論の枠組みを崩すことなく，強迫性障害のモデルを作る

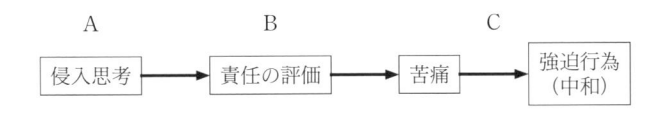

```
   A          B         C
┌──────┐  ┌──────┐  ┌────┐  ┌────────┐
│侵入思考│→│責任の評価│→│苦痛│→│強迫行為│
└──────┘  └──────┘  └────┘  │ (中和) │
                              └────────┘
```

図2-1　強迫性障害の認知行動理論
(Salkovskis, 1985 を簡略化)
A：引き金となる出来事，B：認知，C：結果としての感情・行動

ことが可能になりました（図2-1）。このような発想が，「個別性と一般性のバランス」の部分で述べた，サルコフスキスの真骨頂なのです。個人のなかの事象を認知的評価の対象とする発想は，のちにも述べるように，強迫性障害にとどまらず，幅広い問題に応用されています。

侵入思考に対する認知的評価

危険の認知

このように，サルコフスキスのモデルでは，侵入思考に対する認知的評価が重要となっています。それでは，どのような内容の評価が強迫性障害を形作るのでしょうか。一般に，不安は何らかの危険が認知されたときに生じるとされています。危険（リスク）の認知は，細かく見ると次のような要素からなっています。

(a) 恐れている結果が生じる可能性
(b) 恐れている結果の重大性
(c) 危険に対処する能力の認知
(d) 危険の防止に寄与する外的資源

(a)と(b)は不安を高め，(c)と(d)は不安を抑制する効果を持っています。これらの要因が不安を規定する様子は次のように表現されます。

$$不安 \propto \frac{(a) \times (b)}{(c)+(d)}$$

この式の分子を見ると，たとえ生じる可能性が低いことでも，その結果が重大であれば不安は強くなることがわかります。たとえば，エイズは感染率の低い病気とされていますが，実際に感染したときの重大性は大きいものです。よ

って，強い不安をもたらすと考えられます。

責任の認知

　危険を防止するためにとる行動も，不安の重要な規定要因です。それは前述の式の分母にも示されています。強迫性障害ではこの点がとくに重要です。サルコフスキスは，強迫性障害に特有の認知的評価として，責任の評価が重要であることを指摘しました。侵入思考の内容は，通常何らかの否定的な結果を予期させるものです（例：火の不始末のため火事になる）。責任の評価とは，そのような結果に対する自分の責任や，それを防止する義務感を強く感じてしまうことなのです。たとえば，「鍵を閉め忘れたかもしれない」という侵入思考が浮かんだとします。強迫性障害の人は「鍵が空いたままであったら，泥棒が入るかもしれない」といった結果への責任を強く感じるとともに，そのような事態を防がなければならないと感じるのです。侵入思考に対して責任の評価が生じる背景には，次のようなスキーマ（信念）があると仮定されています。

- あることを考えることとすることは同じである。
- 自分や他の人に降りかかるかもしれない災難を防がない（防ぐ努力をしない）ことは，そのような災難をひきおこしたのと同じである。
- 可能性が低いからといって，責任が減ることはない。
- 侵入思考が生じたときに中和をしないのは，その内容に示される災難を望んでいるのと同じである。
- 自分の思考過程をコントロールすべきである（できるはずである）。

　これを見ると，責任の認知といってもいろいろあることがおわかりになると思います。そこで，強迫性障害に特有の認知を測定する尺度を統合して構造化したアセスメントを開発しようとする国際的プロジェクトが，1995年以来活動しています（Obsessive Compulsive Cognitions Working Group, 1997）。このワーキンググループには，サルコフスキスはもちろんのこと，強迫性障害の著名な研究者が数多く参加しています。いずれにせよ，サルコフスキスの理論がこのようなプロジェクトが結成される契機として重要な刺激であったことは間違いがありません。

安全希求行動（中和行動）

　「おこり得る災難を防がなくてはいけない」「自分の思考をコントロールしな

くてはいけない」というように責任が認知されることによって，強迫性障害の人は，侵入思考が浮かんだときに，何らかの対策を取らないではいられなくなります。それは，侵入思考そのものを意識から追い出そうとする努力であったり，侵入思考に示されるような災難を防ぐ努力であったりします。このような努力は中和行動と呼ばれますが，結果として強迫行為という症状になってしまいます。

　実際，このような中和行動は，かえって侵入思考の不快感や頻度を高めたりして症状を悪化させます。具体的には，次のような悪影響があると考えられます。

　①中和行動は，それをすることで，一時的ではあっても不快感が減るために強化されます。②「被害を防ぐため」に強迫行為を行っていると，恐れていた被害が実際には起きないということを知る機会が失われます。③中和行動の結果，逆説的に，侵入思考は頻度と不快感を増すようになります。それは，中和行動それ自体が，侵入思考を思い出させる刺激となってしまうからです。サルコフスキスは，中和を行うことで，かえって侵入思考の不快感が強まることを実験的に示しています（Salkovskis, et al., 1997）。

強迫性障害はなぜ維持されるのか

　前の節の①〜③で述べたことから，責任の認知にもとづいた中和行動を行うことで，かえって強迫性障害が悪化することがわかると思います。他にも，強迫行為は定型的な動作が繰り返されるため，個々のエピソードの区別が難しい（例：鍵を閉めたという記憶は，今朝のものだろうか）とか，行為を反復するほど行為の現実性が不明になるといった可能性が指摘されています（杉浦，2002）。

　実は，同じ認知的な研究でも，強迫性障害のメカニズムを解明するための試みとして，認知機能全般にわたる障害を仮定した研究もあります（杉浦，2002）。そのような研究では，強迫性障害の人は，不必要な情報をふるいにかける機能が弱い（ために，強迫観念が止まらない），記憶能力に障害がある（ために，強迫行為が繰り返される）といった仮説が提唱されています。サルコフスキスの理論は，このような障害を仮定せず，刺激の解釈と危険を防ぐ努力という，健常者でもみられるメカニズムによって，強迫性障害の病理を説

明することができます。ゆえに，健常者との連続性を前提とし，患者の論理的な思考能力と協力して治療を進めるという方向性が可能になります。サルコフスキスはこれを「ノーマライジング（normalising）」と呼んでいます。

4．パニック障害の研究

外界の出来事ではなく，個人のなかで生じている事象を否定的に解釈することで不安が高まるというモデルは，パニック障害のモデルにも適用されています。パニック障害は，突然強い不安を伴って生じるパニック発作が繰り返される障害です。DSM-Ⅳによるパニック発作の定義を表2-4に示しました。パニック障害の認知行動モデルは，クラークによる1986年の論文によって提唱されています。サルコフスキスも共同してパニック障害の研究に取り組んでおり，1998年に発刊された，10巻にわたる長大な全集である，"*Comprehensive Clinical Psychology*" のパニック障害の章は，サルコフスキスの手によるものです。

以下では，パニック障害の認知理論を紹介し，とくにサルコフスキスの功績について，説明します。

表2-4　パニック発作：Panic Attack

強い恐怖または不快を感じるはっきり他と区別できる期間で，その時，以下の症状のうち4つ（またはそれ以上）が突然に発現し，10分以内にその頂点に達する。

(1) 動悸，心悸亢進，または心拍数の増加
(2) 発汗
(3) 身震いまたは震え
(4) 息切れ感または息苦しさ
(5) 窒息感
(6) 胸痛または胸部不快感
(7) 嘔気または腹部の不快感
(8) めまい感，ふらつく感じ，頭が軽くなる感じ，または気が遠くなる感じ
(9) 現実感消失（現実でない感じ），または離人症状（自分自身から離れている感じ）
(10) コントロールを失うことに対する，または気が狂うことに対する恐怖
(11) 死ぬことに対する恐怖
(12) 異常感覚（感覚麻痺またはうずき感）
(13) 冷感または熱感

身体感覚の破局的解釈

　パニック障害では，非常に強い身体的症状が体験されます。そのような点もあって，パニック障害を通常の（心理学的に理解可能な）不安とは異なる問題として位置づける理論もあります。実際，乳酸ナトリウム，カフェインといった化学物質がパニック発作の引き金になることが知られています。

　しかし，パニック障害の認知行動理論では，そのような要因だけでは，パニック障害の必要十分な条件ではないと考えます。パニック障害のモデルは，図2－2に示しました。パニック障害の患者は，不安によってひきおこされた身体感覚を「不安になったのだから，もっともな反応である」というようには考えずに，「自分は心臓発作をおこしかけている」「気絶する前兆である」というように破局的に誤認することで，さらに不安が強まり，パニック発作という状態に達します。

　強迫性障害では，侵入思考という個人のなかの過程が誤認の対象となっていました。同様に，パニック障害でも個人のなかで生じている過程が誤認の対象となっています。パニックの場合は，その対象が心拍や呼吸の増大といった，身体的な現象となっているわけです。図2－2に示したように，誤認の対象となる身体感覚は，不安によってひきおこされたものであることが一般的です。ただし，乳酸ナトリウム，カフェインといった化学物質によってひきおこされた変化も誤認の対象となることがあります。クラーク（Clark, 1993）は，患

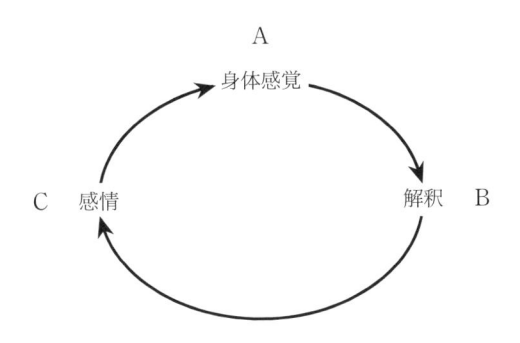

図2－2　パニック障害の認知行動理論
　A：引き金となる出来事，B：認知，
　C：結果としての感情・行動

表2-5 身体感覚と破局的認知の対応

身体感覚	破局的認知
心悸亢進，動悸，頻脈	→ 心臓発作だ，心臓が止まる
息苦しさ	→ 息が止まる，窒息する
非現実感	→ 気が狂いそうだ，発狂する
感覚がなくなる，手足がじんじんする	→ 脳卒中になった
めまい，ふらつき	→ 失神する，倒れる，意識を失う
離人感，緊張，混乱	→ 自分の行動が制御できなくなる
めまい，心悸亢進，胸を締めつけられる，動悸	→ 死んでしまう

者に乳酸ナトリウムを投与する実験を行い，投与によって生じた身体的変化の解釈いかんによって，パニック発作が誘発されたり，されなかったりすることを確認しています。

　身体感覚に対する破局的な解釈は，確かに誤ったものではあるのですが，サルコフスキスは，その内容と身体症状の性質の結びつきには一定の整合性があることを指摘しています。その結びつきは表2-5に示した通りです。破局的解釈が内容的にもっともらしく，主観的には合理的に感じられるという点が，パニック障害が持続するうえで大切になります。

予想される破局に対する安全希求行動

　図2-2には書かれていませんが，予想される破局に対して，患者がどのような安全希求行動をしているかということも，パニック障害を維持する重要な要因となっています。サルコフスキスによれば，安全希求行動は，誤認された破局を避けるための行動であり，単に不快感を静めるための対処とは異なります。

　広場恐怖はパニック発作を避けるために，それが生じるであろう場所を避けることを指します。ここから逆に，パニック障害の認知行動療法では，治療者と一緒に外出を試み，パニック発作や破局的な結果がおきるかどうかを検証するということも行われます。

　特定の状況を回避すること以外にも，破局を防ぐための行動がみられます。たとえば，気を失うことを恐れている場合には，物につかまったり座ったりします。心臓発作が怖いときは，運動を避けることもあります。破局的認知の内容と安全希求行動には内容的な関連がみられます。サルコフスキスは，147名

表2－6　破局的認知の内容と安全希求行動の対応の例
(Salkovskis, Clark & Gelder, 1996 をもとに作成)

破局的認知		安全希求行動
気絶するのではないか	→	人や物につかまる
心臓発作をおこすのではないか	→	座る／安静にする
窒息するのではないか	→	助けを求める

のパニック障害患者の認知と安全希求行動の関連を調べ，両者に理解可能な関連があることを見出しました（Salkovskis, Clark & Gelder, 1996）（表2－6）。

　強迫行為（中和）がかえって強迫性障害を悪化させたように，パニック障害を維持するのにも，安全希求行動が重要な役割を持っています。サルコフスキスは，パニック発作をおこしそうな場面で，安全希求行動を取らせるか，やめさせるかを操作しました。その後，安全希求行動をやめた患者では不安は低下したのに対し，安全希求行動を続けた患者では維持されていることが見出されました（Salkovskis, et al., 1999）。

パニック発作はなぜ維持されるのか

　今述べたように，安全希求行動がパニック障害の維持に寄与していることがわかります。ここではパニック障害がなぜ維持されるかをもう少し詳しく説明したいと思います。

　パニック障害の人は「いまにも死ぬのではないか」という破局的な認知を体験しています。しかし同時に，繰り返されるパニック発作のたびに，恐れていた破局は生じなかったことを体験します。すると，恐れている破局は実際には生じない，ということを学習してもよいように思われます。しかし，実際には何度パニック発作を体験しても，破局的な恐怖は強まる一方であるのが通常です。この理由を生物学的メカニズムに求める研究者もいます。一方，認知行動理論では，生物学的メカニズムを仮定しなくてもパニックの持続を説明できるとしています。

準備性学習理論

　生物学的な説明の代表は，セリグマン（Seligman, 1988）の準備性学習理論です。何らかの行動が形成され，維持される過程は学習と呼ばれます。通常新

しい反応が維持されるためには，繰り返し強化を受けることが必要とされています。ところが，パニックの場合は，先にも述べたように，それを消去するような刺激にさらされても，なお持続するのです。セリグマン（Seligman, 1971）は，恐怖症などは，通常の学習とは異なった法則にしたがっていると考えています。つまり，①特定のきまったパターンを取る，②1回の体験でも形成され得る，③なかなか消えにくい，④不合理とわかっていても修正されにくい。このような特徴をセリグマン（Seligman, 1971）は，準備性学習と呼んでいます。準備性とは，生物学的にあらかじめ定められたパターンに沿っているということです。パニックの場合は，身体への危険と関連しているため，そのような不安は遺伝的に組み込まれていると考えるわけです。

破局的認知と安全希求行動の内的な一貫性

一方，認知行動理論では，通常の心理過程との連続性のうえで，パニック障害が維持される仕組みを説明しています。先にも述べたように，パニック障害の患者を外から観察していると，破局的な結果は一度も生じていないにもかかわらず，その不安を持ち続けているのは，奇妙に思えます。しかしながら，患者自身の認知と行動の過程を検討してみると，そこには内容的に一貫性のある，理解可能な流れを見出すことができます。たとえば，次のような破局的認知と安全希求行動を示す患者のことを考えてみましょう。

認知：「心臓発作をおこすに違いない」→行動：「座ってじっとしている」

この患者には，たび重なるパニック発作の末に心臓発作には至らなかったのは，破局的認知が誤っていたためではなく，毎回適切な処置（座って安静にするという安全希求行動）を取ったからであるというように体験されます。つまり，パニック発作の1回1回のエピソードは，危うく難を逃れたニアミス体験ということになります。

このように理解することで，重要な治療的示唆が得られます。準備性学習理論では，パニックは合理的な説明によっては修正できないものでした。一方，認知行動理論からは，パニック発作や安全希求行動は，患者の認知に着目してみれば，もっともで理解可能なものとなります。つまり，患者の判断の過程は合理的なものであるということになります。患者は合理的な判断の能力を持っているのですから，認知行動療法では，その点を前提としたうえで，破局的認知の内容の客観的な妥当性を患者と共同して検討することになります。たとえ

ば，本当に窒息がおこるのかどうかを検証したりします。

5．心気症の研究

心気症もサルコフスキスの研究テーマのひとつです。心気症は，DSM－IVでは，身体表現性障害というカテゴリーに含まれていますが，不安が前面に出ています。DSM－IVによる定義を表2－7に示しました。自分が病気にかかっているのではないかと心配し，疑うことを主要な症状とする障害です。サルコフスキスは，心気症を，パニック障害や強迫性障害のモデルと類似した枠組みでとらえています（Warwick & Salkovskis, 1990）。そのモデルを図2－3に示しました。これに沿って簡単に解説したいと思います。

心気症のモデルは，身体感覚への破局的解釈を中心に据えるなど，パニック障害と共通する部分が多くあります。そこでここでは，その相違点を中心に解説します。

心気症における破局的解釈

心気症の場合も，身体感覚が破局的解釈の対象となる場合が多くあります。パニック障害では，それらは不安によって生じる症状が中心でしたが，心気症の場合は，頭痛や皮膚のただれなど，多くの身体感覚がきっかけになります。また，とくに身体感覚が体験されなくても，近親者が病気にかかったり，病気に関する情報を得ることで，病気にかかっているのではないかという不安が強

表2－7　心気症：Hypochondriasis

A．身体症状に対する患者の誤った解釈にもとづき，自分が重篤な病気にかかる恐怖，または病気にかかっているという観念へのとらわれ。
B．そのとらわれは，適切な医学的評価または保証にもかかわらず持続する。
C．基準Aの確信は（妄想性障害，身体型のような）妄想的固さがなく，（身体醜形障害のような）外見についての限られた心配に限定されていない。
D．そのとらわれは，臨床的に著しい苦痛または，社会的，職業的，または他の重要な領域の機能における障害をひきおこしている。
E．障害の持続期間が少なくとも6カ月である。
F．そのとらわれは，全般性不安障害，強迫性障害，パニック障害，大うつ病エピソード，分離不安，または他の身体表現性障害ではうまく説明されない。

```
                    先行経験
・自分や家族が病気をした，不適切な治療を受けた
・身体症状や正常な反応への過剰な対応
例：父親が脳腫瘍で亡くなった
    少しでも気になると，万が一のことを考えて，いつも医者に行った
                      ↓
                不適応な信念の形成
例：少しでも不調があるときは，何かの病気である
    自分の症状の理由は常にわかっていなければいけない
                      ↓
            引き金となる出来事………A
・病気を思わせる症状や出来事
例：友人ががんで亡くなった
    最近頭痛がひどい
              不適応な信念の活性化
                      ↓
            認知的評価：自動思考………B
例：脳腫瘍かもしれない
    最近痩せたけれど，医者に行っていない
    もう手遅れかもしれない
    どんどん悪化したらどうしよう
    脳外科にかかって，手術になるだろう
                      ↕
            健康不安，心気症 ………C
                      ↕
・行動との相互作用：保証を求める，健康に悪いことをやめる
・認知との相互作用：身体への注意の集中，否定的な情報の収集，心配
・生理との相互作用：身体的覚醒の増大，不眠
・情動との相互作用：不安，抑うつ，怒り
```

図2－3　心気症の認知行動理論
(Warwick & Salkovskis, 1990 より引用)
A：引き金となる出来事，B：認知，C：結果としての感情・行動

まる場合があります。難病に関する報道に接して怖くなることもあります。

　破局的解釈は，がんや脳腫瘍などの重大な病気にかかっているのではないか，といった内容が典型的です。パニック障害との違いは，パニックでは，今にも心臓発作がおきるのではないか，という差し迫った脅威が認知されるのに対して，心気症の場合は，重大な病気にかかっているかもしれない，といった不確実な，あるいは未来に焦点のある認知がなされます。

心気症における安全希求行動

　心気症の場合も，やはり破局的認知の内容と対応した安全希求行動が取られます。具体的には，自分の体の具合や身体感覚を繰り返し確認したり，病状を悪化させると考えている行動を避けたりします。また，何度も病院を訪れて検査を受けたり，さまざまなメディアから病気に関連する情報を収集したりします。パニック障害とは異なり，いまここで発作になるのを防ぐ，という即時的なものではない分，さまざまな時間のかかる行動がみられます。

　このような安全希求行動によって，かえって気になっていた身体感覚に注意が向いたり，破局的解釈の材料となる情報をたくさん得てしまうことになります。患者は，自分は病気にかかっているかもしれない，という認知に沿って情報を集めるので，結果的に情報収集を行うほど，病気にかかっているという確信を強めてしまうことになります。また，皮膚の違和感を感じるところを何回も引っかいて，本当に炎症をおこしてしまうこともあります。

　心気症では自分が病気にかかっていないかどうかを，繰り返し他の人に確認する保証の要求（reassurance seeking）という行動がよくみられます。サルコフスキスらは，保証を求めることで，短期的には不安が低減するものの，長期的には不安が逆戻りして，保証要求がエスカレートすることを示しています（Salkovskis & Warwick, 1986）。

6．恐怖症の研究

　サルコフスキスの不安障害の研究は，恐怖症にも及んでいます。恐怖症は，行動療法の効果が高い反面，認知的な理論化がそれほど進んでいませんでした。より正確に言えば，認知的要因は恐怖症の原因として大切ではないという

考えが一般的でした（Kent, 1991）。サルコフスキスは，その恐怖症にも認知的な評価が重要な役割を持つことを示しました。

恐怖症と認知の関連

恐怖症には，認知的な要因が関係していないという考えのもととなるのは，パニックの議論でも登場した，セリグマン（Seligman, 1971）の準備性学習理論です。準備性学習という概念は，もともと恐怖症の対象が非常にかぎられている（例：高所，犬，猫，蛇など）ことを説明するために提出されたものです。そのような対象への恐怖が獲得されやすいのは，進化の過程でそれらの状況や動物が人間の生存に有害であったためではないか，という発想です。

しかしながら，サルコフスキスは，準備性学習理論が影響力を持っているにもかかわらず実証的な根拠が乏しいこと，さらに言語的な方法で恐怖を弱めることが可能である点を指摘し，準備性学習理論に疑問を呈しています（Thorpe & Salkovskis, 1995）。準備性学習理論では，生物学的に準備された恐怖対象に関しては無意識の情報処理がなされると予想しますが，サルコフスキスらの実験ではこの仮説は支持されませんでした（Thorpe & Salkovskis, 1997）。

恐怖症の信念

サルコフスキスは，恐怖症者において，恐怖に関する信念がどのような役割を果たしているかを調べました（Thorpe & Salkovskis, 1995）。恐怖症者の認知を測る質問紙を実施した結果，恐怖の対象（クモ）に直面したときに予想される危害に関する認知や，恐怖対象に直面したときに対処できないという無力感に関する認知が，恐怖症者の感じる恐怖を強めていることがわかりました。この結果は，恐怖症には認知が関与していないという主張への反証になります。

他にも，さまざまな興味深い知見が得られました。恐怖対象への嫌悪感は，恐怖の程度には寄与していませんでした。また多くの恐怖症者は，危害に関する認知のなかで，自分が示すであろう恐怖を過大視し，破局的に解釈する認知を示しました。たとえば，恐怖対象に接したときに，「おかしなふるまいをしてしまうだろう」「気絶してしまうだろう」「心臓発作をおこすだろう」といった認知です。これらの認知は，パニック障害における破局的認知に類似しています。恐怖症においても，クモなどの恐怖対象への恐怖のみでなく，自分が示

すであろう恐怖自体が，恐怖の対象となっているのです。さらに，クモ恐怖の人をクモに直面させても（つまり，一種のエクスポージャーを行っても），破局的認知への確信度は変わりませんでした。

このように，認知的ではないと考えられた恐怖症においても，複雑な認知や対処が重要な役割を果たしていることがわかりました。

7．医療場面での意志決定の研究

サルコフスキスは不安障害以外にも研究テーマを広げていますが，その代表的なものは，医療場面での意志決定です。この場合，治療や検査を受ける患者の側の意志決定が問題にされています。誰しも，体調に不安があるときに，医者に行くべきかどうか迷った経験があると思います。重大な病気（がん，エイズなど）にかかっているかどうかの検査を受けようとする場合は，相当の不安と迷いが生じるでしょう。

予測的検査（predictive testing）と呼ばれるものは，特定の病気が将来発症するリスク（遺伝負因）を診断するもので，検査を受ける時点で，将来への影響を患者自身が予想することが難しいものです。サルコフスキスは，予測的検査を受けるときの意志決定過程について研究を行っています。重大で予測の難しい状況という意味では，不安の認知と通じる部分が多い問題です。実際，不安障害の研究におけるサルコフスキスのセンスが，遺憾なく発揮されています。

以下では，その具体的な研究を見ていきます。

予測的検査への意志決定は効用理論で説明できるか

意志決定に関する心理学的研究では，合理的な決定，あるいは数学的に正しい決定と，人々が日常場面で行う意志決定との類似点や相違点を検討する方法が多く取られます。サルコフスキスは，効用理論という合理的な意志決定のモデルに照らして，疾患への遺伝的なリスクを診断する検査を受けるかどうかの決定の過程を検討しました（Wroe, Salkovskis & Rimes, 1998）。効用理論では，合理的な決定は，次のように算出される期待効用を最大化する選択肢を選ぶものであるとしています。

選択肢Aの期待効用＝（選択肢Aの）結果1が生じる確率×結果1の重要性＋結果2の確率×結果2の重要性……結果nの確率×結果nの重要性；

　予測的検査を受けるかどうかの決定もこの公式に従うのでしょうか。もし従うならば，人々は合理的な決断をしているといえるのでしょうか。

　サルコフスキスらは，何らかの遺伝負因の検査を受けることを考えたことがある人に，がんなどの病気に関する簡単な情報を与え，(a)検査を受けたいかどうか，(b)自分が将来発症する可能性はどのくらいだと思うか，(c)検査を受けたいかどうかを決定するのに関連した理由は何か，を尋ねました。その結果，将来発症する可能性を強く見積もるほど，検査を受けたいという傾向が強くなることがわかりました。さらに重要なことは，検査を受けたいかどうかは，(c)で述べた理由の数ともっとも強く関連していました。具体的には，受けたい理由と受けたくない理由の比率が最もよく予測していました。

$$比率 = \frac{（受けたい理由 － 受けたくない理由）}{（受けたい理由 ＋ 受けたくない理由）}$$

　とくに上の計算式で，単なる理由の数ではなく，各々の理由の重要性を評定させた得点を足し合わせると，意志決定をよりよく予測することがわかりました。「検査を受ける／検査を受けない」という選択により生じる結果の重要度が，決定を予測するという知見は，効用理論とよく合致しています。

　検査を受けるかどうかの決定過程は，合理的な判断の過程（効用理論）に沿っていることがわかりました。ただし，そこで述べられる理由は個人に特有のものです。たとえば，何らかの遺伝負因の検査を受けることを考えたことがある人は，統制群の学生よりも，自分の感情を決定の理由として多く述べていました（例：悪い結果が出たらどうしよう）。判断過程は合理的だが，その内容は必ずしも客観的なものではない，という知見は，サルコフスキスが不安障害で見出した結果と共通しています。

非指示的カウンセリングが予測的検査への意志決定におよぼす影響

　上で述べた研究では，検査を受けるかどうかの決定にかかわる個人の主観的な理由を問題にしています。しかし，医療場面では，専門家から提供される情

報が大切です。重大な決定の場合，多量の情報を勘案したうえでのカウンセリングが行われることもあります。

　サルコフスキスは別の研究で，同じ情報が与えられても，そのどこに注目するかによって，意志決定に影響が出ることを示しました (Wroe & Salkovskis, 2000)。その研究ではまず被験者は，心臓病の予測的検査を受けるかどうかをたずねられました。すべての被験者には心臓病の予測的検査について同じ情報が与えられました。ただし，その後，検査の良い面，あるいは悪い面に注意を向けさせるための質問がなされました。被験者は，「検査でもし悪い結果が出たら，予防のために気をつけるようになる（良い面）」「検査でもし悪い結果が出たら，家族がショックを受ける（悪い面）」といった項目を評定するように求められました。ここで重要なことは，質問によって新たな情報を与えていない点です。

　その結果，良い面に注目した人では，検査を受けたいという傾向が上昇しました。逆に，悪い面に着目した人の場合，検査を受けたいという傾向が減少しました。この結果は，決定を行う，まさにそのときの認知が重要な影響を持つことを示しています。検査の良い面，あるいは悪い面に注意を向けさせる操作は，新たな情報を与えずに考えを深めさせるようなものです。その点で，非指示的カウンセリングにも似ています。この実験結果は，一般にクライエントの意志を左右することが少ないとされる非指示的カウンセリングも，決定の過程に重大な影響をもち得ることを示唆しています。

8．その他の医療場面への応用

　サルコフスキスは，その他にも多くの問題に関する研究をしています。たとえば慢性疼痛の研究です。慢性疼痛とは，身体の客観的な状況から考えると過剰な痛みを訴えることです。サルコフスキスは，慢性疼痛の要因として，痛みに過剰に注意を向けてしまうということがあると考えました。そして，慢性疼痛の患者に対して，注意を必要とする課題をさせると，(痛みに注意を向ける余裕がなくなるために) 痛みへの耐性が高まることを見出しています (Rode, Salkovskis & Jack, 2001)。また，月経前症候群 (premenstrual syndrome) への認知療法を試み，その効果を示しました (Blake, et al., 1998)。

9．経験に裏づけられた臨床的介入

　臨床心理学的問題には，精神分析から分子生物学に至るまで，さまざまなアプローチがなされています。本章を通じて述べたように，サルコフスキスは一貫して認知行動理論によってさまざまな問題に挑んでいます。その特長は，(a)論理的思考能力など，患者の理性を信頼したうえで，(b)その解釈の内容の妥当性を経験的に検証する，というようにまとめられるでしょう。

　臨床的な問題にどのようなアプローチを採用するかという問題は，常に議論の的になっています。ともすれば，各々の臨床家がたまたま最初に学習したものを使い続ける傾向もあります。実際，一つのアプローチを用いてさまざまな問題を統一的に理解することには重要な意義があります。理論というものは，迷宮のような臨床的問題に挑むときの道しるべになります。その理論自体に統一性がなければ，迷ってしまうのは必至です。逆に，一つのアプローチにただ固執しているだけでは，やはり道しるべにはなりません。今歩いている場所がわからない地図では意味がないのです。サルコフスキスは一貫して認知行動理論を用いてきました。鮮やかな発想の転換によって，パニック障害や強迫性障害などに即した形で，認知行動理論を適用してきたことは，これまで述べたとおりです。

　認知行動理論が優れたものであるという知見は多数重ねられています。近年，臨床的介入の効果を実証的に評価する「実証にもとづいた臨床心理学 (Evidence Based Clinical Psychology：EBCP)」という流れが出てきています。EBCPでは，治療効果の研究が重要な位置を占めます。実際，多くの臨床的問題にとって，認知行動療法が有効であることが示されています。

　しかしながら，臨床心理学的問題は，すでに有効とわかった介入法を適用するだけでは解決できない複雑さを常にはらんでいます。複雑な個々のケースに柔軟に対応することに役立つ理論がきちんとしていることが非常に重要なのです。実は，治療効果研究は，理論の直接的な検証にはあまり有用ではありません（図2－4の破線の矢印）。世の中にはメカニズムはよくわからないものの，とりあえず効果がある技法が多くあります。効果があっても，仕組みはよくわからないのです。そこで，サルコフスキスは，EBCPの考えを拡張して，治療技法の効果研究にかぎらず，理論的研究や臨床実践を含めて統合した「経験

に裏づけられた臨床的介入（Empirically Grounded Clinical Interventions）」というアイデアを提唱しています（Salkovskis, 2002）（図2-4）。本章で紹介した実証研究も多くは，効果研究ではなく，基礎的な理論的研究です。サルコフスキスの理論は，そのような基礎研究により支えられているのです。

　認知行動理論に関する概説の部分で，それが人間の能動性を重視しているという点を強調しました。一方では，無意識の情報処理など，能動的でない要因を強調する理論も多数あります。しかし，ウェルズらは，臨床的問題の背景にある無意識の情報処理に関する研究を多数概観し，これまで人間の能動性が関与する余地があまりないとされてきた現象にも，能動的な意志が関与していることを示しています（Wells & Matthews, 1994）。サルコフスキスの発想が，基礎研究という立場からみても，妥当性を持っていることを示す例です。

10. おわりに

　サルコフスキスにはここでは紹介しきれない多くの業績があり，それぞれが多くの研究者によって引用され，臨床心理学研究を盛り上げています。今後とも，サルコフスキスのアイデアは，われわれ臨床心理学にかかわる者を刺激し続けてくれるでしょう。

　興味を持たれた方は，ぜひサルコフスキスの論文や認知行動理論に関する論

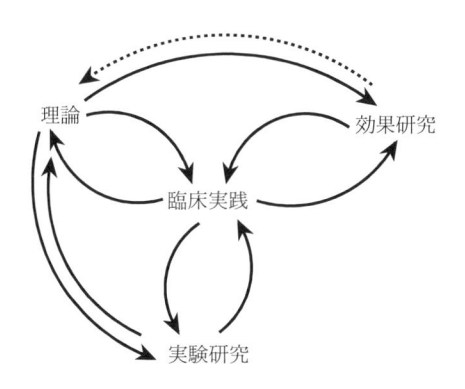

図2-4　経験に裏づけられた臨床的介入
Empirically Grounded Clinical Interventions
(Salkovskis, 2002)

文をお読みになることをお勧めします。日本語で読める概説としては，認知行動理論やEBCPを扱った丹野（2001），サルコフスキスの研究をはじめとする強迫性障害の認知的研究を概説した杉浦（2002）があります。サルコフスキスの論文は非常に多数あります。日本語訳が出ているものとしては，サルコフスキス（Salkovskis, 1996）やサルコフスキス・マクリーン（Salkovskis & Mclean, 1996）があります。原文であれば，Behaviour Research and Therapy, Cognitive and Behavioural Psychotherapy といった雑誌をチェックされるのが早道でしょう。前者は認知行動理論に関係した最も伝統のある雑誌で，毎号刺激的な論文が満載です。後者はサルコフスキスが編集をしている雑誌です。

● 引用文献

American Psychiatric Association 1994 *Quick reference to the diagnostic criteria from DSM−IV*. Washington, D.C.: American Psychiatric Association. 高橋三郎・大野裕・染谷俊幸（訳）1995　DSM−IV──精神疾患の分類と診断の手引き　医学書院

Beck, A.T. 1976 *Cognitive therapy and the emotional disorders*. New York: International University Press. 大野裕（訳）1990　認知療法──精神療法の新しい発展　岩崎学術出版社

Beck, A.T., Brown, G., Steer, R.A., Eidelson, J.I. & Riskind, J.H. 1987 Differentiating anxiety and depression: a test of the cognitive content-specificity hypothesis. *Journal of Abnormal Psychology*, 96, 179-183.

Blake, F., Salkovskis, P., Gath, D., Day, A. & Garrod, A. 1998 Cognitive therapy for premenstrual syndrome: a controlled trial. *Journal of Psychosommatic Research*, 45, 307-318.

Clark, D.M. 1986 A cognitive approach to panic. *Behaviour Research and Therapy*, 24, 461-470.

Clark, D.M. 1993 Cognitive mediation of panic attacks induced by biological challenge test. *Advances in Behaviour Research and Therapy*, 15, 75-84.

Ellis, A. 1962 *Reason and emotion in psychotherapy*. New York: Lyle Stuart.

Kent, G. 1991 Anxiety. In W. Dryden, & R. Rentoul (Eds.) *Adult clinical problems: a cognitive behavioural approach*. London: Routledge. 大六一志（訳）1996　不安障害　丹野義彦（監訳）認知臨床心理学入門──認知行動アプローチの実践的理解のために　東京大学出版会

Obsessive compulsive cognitions working group 1997 Cognitive assessment of

obsessive-compulsive disorder. *Behaviour Research and Therapy,* 35, 667-681.
Purdon, C., & Clark, D.A. 1993 Obsessive intrusive thought in nonclinical subjects. Part I. Content and relation with depressive, anxious and obsessional symptoms. *Behaviour Research and Therapy,* 31, 713-720.
Rachman, S. & de Silva, P. 1978 Abnormal and normal obsessions. *Behaviour Research and Therapy,* 16, 233-248.
Rode, S., Salkovskis, P.M. & Jack, T. 2001 An experimental study of attention, labelling and memory in people suffering from chronic pain. *Pain,* 94, 193-203.
Salkovskis, P.M. 1985 Obsessional-compulsive problems: a cognitive-behavioural analysis. *Behaviour Research and Therapy,* 23, 571-583.
Salkovskis, P.M. 1996 Cognitive-behavioral approach to the understanding of obsessional problems. In R.M. Rapee (Ed.) *Current controversies in the anxiety disorders.* New York: The Guiford Press.
Salkovskis, P.M. (Ed.) 1996 *Trends in cognitive and behavioral therapies.* Chichester: John Wiley and Sons. 坂野雄二・岩本隆茂（監訳）1998　認知行動療法――臨床と研究の発展　金子書房
Salkovskis, P.M. 1998 Panic Disorder and Agoraphobia. In A.S. Bellack & M. Hersen (Eds.) *Comprehensive Clinical Psychology.* Vol 6. P. Salkovskis (Ed.) Adult: Clinical formulation and treatment. Elsevier Science. Pp. 400-438.
Salkovskis, P.M. 2002 Empirically grounded clinical interventions: Cognitive-behavioural therapy progresses through a multi-dimensional approach to clinical science. *Behavioural and Cognitive Psychotherapy,* 30, 3-9.
Salkovskis, P.M., Clark, D.M. & Gelder, M.G. 1996 Cognition-behaviour links in the persistence of panic. *Behaviour Research & Therapy,* 34, 453-458.
Salkovskis, P.M., Clark, D.M., Hackmann, A., Wells, A. & Gelder, M.G. 1999 An experimental investigation of the role of safety-seeking behaviours in the maintenance of panic disorder with agoraphobia. *Behaviour Research & Therapy,* 37, 559-574.
Salkovskis, P.M. & Mclean, P.D. 1996　パニックのための認知行動療法　佐藤啓二・高橋徹（編著）　パニック障害の心理的治療法――理論と実践　ブレーン出版　Pp.105-188.
Salkovskis, P.M. & Warwick, H.M. 1986 Morbid preoccupations, health anxiety and reassurance: a cognitive-behavioural approach to hypochondriasis. *Behaviour Research & Therapy,* 24, 597-602.
Salkovskis, P.M., Westbrook, D., Davis, J., Jeavons, A. & Gledhill, A. 1997 Effects of neutralizing on intrusive thoughts: an experiment investigating the etiology of obsessive-compulsive disorder. *Behaviour Research & Therapy,* 35,

211-219.

Seligman, M.E.P. 1971 Phobias and preparedness. *Behavior Therapy*, 2, 307-320.

Seligman, M.E.P. 1988 Competing theories of panic. In S.J. Rachman & J. Master (Eds.) *Panic: psychological perspectives*. New Jersey: Hillsdale.

杉浦義典　1999　心配の問題解決志向性と制御困難性の関連　教育心理学研究，47，191-198．

杉浦義典　2001a　心配への認知的アプローチ：能動性に着目して　教育心理学研究，49，240-252．

杉浦義典　2001b　ストレス事態に関する思考の制御困難性と関連する対処方略——情報回避・情報収集・解決策産出と心配　教育心理学研究，49，186-197．

杉浦義典　2002　強迫性障害　下山晴彦・丹野義彦（編）講座臨床心理学3：異常心理学Ⅰ　東京大学出版会　Pp.81-98．

丹野義彦　2001　エビデンス臨床心理学　日本評論社

Thorpe, S.J. & Salkovskis, P.M. 1995 Phobic beliefs: Do cognitive factors play a role in specific phobias? *Behaviour Research & Therapy*, 33, 805-816.

Thorpe, S.J. & Salkovskis, P.M. 1997 Information processing in spider phobics: the Stroop colour naming task may indicate strategic but not automatic attentional bias. *Behaviour Research & Therapy*, 35, 131-144.

Warwick, H.M. & Salkovskis, P.M. 1990 Hypochondriasis. *Behaviour Research & Therapy* 28, 105-117.

Wells, A. & Matthews, G. 1994 *Attention and emotion*. Hove: Laurence Erlbaum. 箱田裕司・津田彰・丹野義彦（監訳）　印刷中　心理臨床の認知心理学：感情疾患の認知モデル　培風館

Wroe, A.L. & Salkovskis, P.M. 2000 The effects of 'non-directive' questioning on an anticipated decision whether to undergo predictive testing for heart disease: an experimental study. *Behaviour Research & Therapy*, 38, 389-403.

Wroe, A.L., Salkovskis, P.M. & Rimes, K.A. 1998 The prospect of predictive testing for personal risk: attitudes and decision making. *Behaviour Research & Therapy*, 36, 599-619.

3 章
不安障害の認知行動療法
―― サルコフスキスのワークショップ

ポール・サルコフスキス
訳／堀越　勝，杉浦義典，毛利伊吹，森脇愛子
佐々木淳，菅　弥生，小堀　修，竹下賀子

　不安障害に対する認知行動療法は，近年，大きな発展をみせています。本日のワークショップでは，不安障害の治療について，事例に即して詳しくお話ししたいと思います。

1．経験に裏づけられた臨床的介入

　最初に「経験に裏づけられた臨床的介入」の枠組みについてお話しします。図3－1をご覧ください。偉大な臨床心理学者たちは，フロイトもユングも，「臨床実践」のなかから「理論」を組み立てていきました。そうした「理

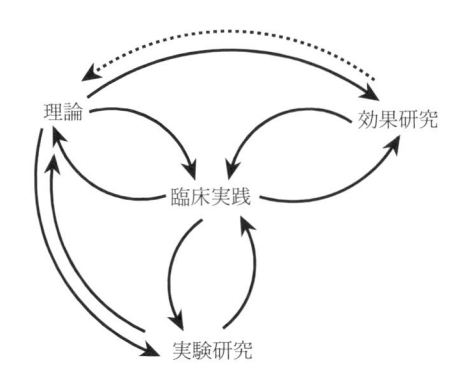

図3－1　経験に裏づけられた臨床的介入

論」は今なお，私たちの進むべき道を示してくれています。「良い理論ほど実践的なものはない」と私は考えています。

では，「臨床実践」と「理論」だけで，心理療法は発展できるでしょうか。答えは，ノーです。心理療法を発展させるためには，「理論」と「臨床実践」以外に必要なものが2つあります。

第1は，「効果研究」です。効果研究とは，その技法の治療効果がどのくらいなのかを調べることです。そもそも，治療というものは，クライエントの助けになることが絶対条件です。となると，その治療法が本当に有効かどうか，確かめる必要が出てきます。そのため，心理療法の発展には，効果研究が不可欠なのです。そして，確かに効果があると実証された治療法だけを用いるべきであると私は考えています。

第2に必要なものは，「実験研究」です。なぜ，心理療法の発展に，実験が必要なのでしょうか。それは，理論を検証することができるのは実験研究だけだからです。「効果研究」は，どの理論が正しいのかを教えてはくれません。効果研究からは，どの理論が間違っているかしかわからないのです。図3-1で，「効果研究」から「理論」への矢印が点線になっているのはそういう意味です。ですから，理論が正しいかどうかを検証するためには，どうしても実験研究が必要になるのです。また，「実験研究」は，「臨床実践」から多くの情報を得ることができ，逆に，「臨床実践」に多くの情報を提供することができます。

このように，理論・臨床実践・効果研究・実験研究の4つを組み合わせ，それらにもとづいた心理療法が必要です。私はこれを「経験に裏づけられた臨床的介入」と呼んでいます。

以下では，私が行っている認知行動療法についてご紹介します。「理論」「臨床実践」「効果研究」「実験研究」の順に，説明したいと思います。

2．理論：不安の認知理論

（1） 認知理論とは

認知療法の基本は図3-2に示すような考え方です。ここに示すように，感

情の原因は，出来事それ自体ではなく，出来事の解釈です。つまり，出来事が自分にとってどのような意味を持つのか，その解釈によって，感情が決まってきます。出来事をネガティブに解釈すれば，ネガティブな感情（抑うつや不安）がおこります。逆に，出来事をポジティブに解釈すれば，ポジティブな感情がおこります。

　ひとつ試してみましょう。今日のワークショップでは，みなさんにやっていただくことがあります。みなさんのなかから誰か1人に前に出てきていただいて，クライエントの役を演じていただきます。それでは今から，みなさんのなかから1人選ばせていただきます。どなたにしましょうか。（……沈黙……）

　これは実は冗談です。ところで，私が「誰か1人を選びます」と言ったとき，「ああどうしよう」と思ったり，居たたまれない気持ちになったのではないでしょうか。少しでも不安を感じた方は，手をあげてみてください（たくさんの聴衆が手をあげた）。多くの方が不安を感じたようですね。このような状況で不安を感じるのはごく当たり前のことです。私が「誰か1人を選びます」と言ったときに，みなさんの頭のなかではどんなことがおこっていたでしょうか？　「もし自分が選ばれて，前に出たら，恥をかいてしまうのではないか」と思った方も多いのではないでしょうか？　これが，図3－2で説明したことのひとつの実例になると思います。つまり，出来事をネガティブに解釈すれば，ネガティブな感情（抑うつや不安）がおこるのです。

　感情の発生について，もっと詳しく考えてみましょう。認知療法によれば，解釈のしかたによって，どのような感情がおこるのかが決まってきます。表3－1を見てください。たとえば，出来事を「喪失」と解釈すると，「抑うつ」の感情がおこってきます。喪失は，たとえば，お金を失ったとか，まわりの人

出来事
↓
出来事の解釈
↓
感情

図3－2　感情の認知理論

表3－1　解釈によって感情が決まる

感　情	解　釈
抑うつ	喪失
不安	危険・脅威
怒り	他人がルールを破った（不公平感）
罪悪感	私がルールを破った

からの評判を落としたといった解釈です。これに対して，「不安」は「危険・脅威」と関係します。つまり，出来事が「自分にとって危険なことである」と解釈すると，不安がおこってくるのです。同じように，「誰かがルールを破った」と解釈すると，「怒り」の感情が生まれますし，「自分がルールを破った」と解釈すると，「罪悪感」が生まれます。表3－1のような仮説については，多くの研究が行われ，これを支持する証拠が得られています。

（2）　不安を発生させるもの

　不安のメカニズムについて，もう少し詳しく見てみましょう。図3－3を見てください。出来事をどのように解釈するかによって，感情がおこることはすでにお話ししました。ということは，危険が実際には存在しなくても，危険があると信じているだけで，不安は生まれるのです。たとえば，心臓がドキドキしたという出来事に対して，「心臓発作がおこった」と解釈した人は，実際に心臓発作がおきている人と同じように，不安を感じます。また，図3－3に示すように，不安は行動的反応をひきおこします。これを「安全希求行動」と名

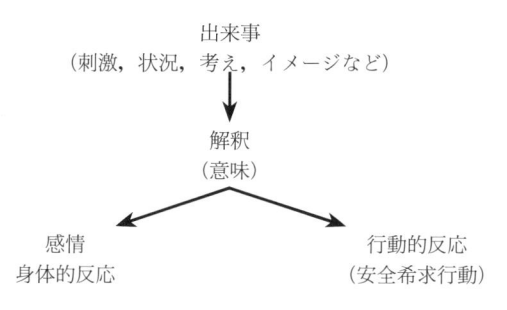

```
              出来事
   (刺激，状況，考え，イメージなど)
                ↓
              解釈
              (意味)
             ↙    ↘
       感情          行動的反応
    身体的反応      (安全希求行動)
```

図3－3　感情の認知理論：解釈によって行動が決まる

づけることにします。誰でも，不安を感じたときは，いろいろな「安全希求行動」を行います。先ほど，私が「誰か1人を選びます」と言ったとき，みなさんもさまざまな「安全希求行動」をされていました。たとえば，ノートに何か書きはじめた方もいらっしゃいましたし，私から目をそらした方も大勢いらっしゃいました。これは，危険に対する自然な反応であるといえます。しかし，不安障害の場合は，次に述べるように，この「安全希求行動」が問題になってくるのです。

（3） 不安を持続させるもの

不安が発生するのは，誰にとっても当たり前のことと言えます。むしろ，不安になることよりも，不安が長引いてしまうことのほうが重要なのです。そこで，認知療法では，不安の発生要因と同時に，不安の持続要因を明らかにしてきました。

不安の持続については，図3-4にまとめてあります。ひとたびネガティブな解釈がおこると，不安が強まるだけでなく，出来事の知覚も悪化するし，身体的な反応も強まるし，「安全希求行動」も増えます。これらがさらにネガティブな解釈を強めます。悪循環がおこってくるのです。

たとえば，あるクライエントは，自分の身体感覚を，心臓発作の兆候ではないかと心配になりました。その結果，身体感覚に注意が向いてしまい，階段を

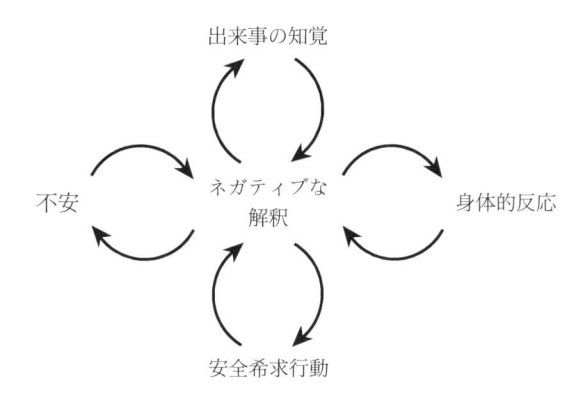

図3-4 不安の持続の認知モデル：マルチ・コンポーネントモデル

表3-2　解釈によって不安障害の種類が決まる

恐怖症	特定の状況下での切迫した危険
パニック障害	身体の切迫した破局的な危険
心気症	身体の破局的な危険（切迫してはいない）
社会恐怖	切迫したネガティブな社会的評価
強迫性障害	侵入思考に対する責任感
全般性不安障害	脅威の過大評価，心配についての心配

昇るときの息苦しさに過敏になってしまいました。誰でも階段を昇れば息切れをするものなのですが，ひとたび息切れに注意が向いてしまうと，「この息切れは心臓発作になる証拠だ」といったように，破局的に解釈してしまうのです。このように悪循環がおこってしまいます。これらの要因が不安を持続させることは，さまざまな研究によって証明されています。

（4）　不安障害の認知

　これまでは，不安障害の全般的な特徴についてお話ししてきました。しかし，一口に不安障害といっても，恐怖症，パニック障害，強迫性障害など，さまざまな種類があります。その種類も，解釈のしかたによって決まってきます。
　表3-2を見てください。たとえば，パニック障害は，ささいな身体感覚を，心臓発作のような重病であると破局的に解釈することからおこります。また，社会恐怖は，まわりの人からネガティブな評価を受けるのではないかと解釈することからおこります。強迫性障害は，「侵入思考」が浮かんできたときに，それに対して自分に責任があると解釈することからおこります。全般性不安障害では，自分が心配していること自体について心配することで，不安が強まります。
　こうした障害ごとの特異性を知ることは，効果的な治療をするためにはぜひとも必要なことです。これについては，後ほどお話しいたします。

3．臨床実践：不安への認知行動療法

　次に，臨床実践についてお話ししましょう。ここでは，パニック障害と強迫性障害の治療について具体的に詳しくお話しします。ここが本日のワークショ

ップのメインとなります。

（1）パニック発作とパニック障害

「パニック発作」というのは，突然強い不安に襲われる症状です。パニック発作がおこると，心身に強い不安が生じます。パニック発作はありふれた症状です。約60％の人が体験するといわれます。パニック発作が持続するようになると，「パニック障害」と診断されます。パニック障害になる人は，人口の３〜７％ほどです。パニック障害によって，広場恐怖となり，外出できなくなる人もいます。

「パニック発作」が「パニック障害」へと発展するのはなぜでしょうか？同僚のデイヴィッド・クラークと私は次のように考えています。１度や２度のパニック発作を経験する人は多いのですが，パニック発作を何回も経験すると，それが「心臓発作の兆候だ」といったように，破局的な解釈をしてしまうことがあります。このような破局的な解釈をするか否かが，パニック発作とパニック障害の分かれ目です。ひとたび破局的な解釈をしてしまうと，図３−５に示すような悪循環が生じます。まず，①身体の感覚が，心臓発作の徴候だと解釈されます。そして，②心臓発作になってしまうと考えると，恐怖の感情がわいてきます。さらに，③その恐怖感情によって，再び身体感覚が強くなります。こうした悪循環がおこってしまうのです。図３−５のような悪循環は，ほとんど一瞬のうちにおこります。このため，パニック障害のクライエントは，この悪循環に自分で気づけないのです。

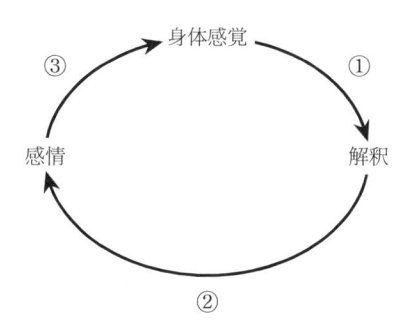

図３−５　パニック障害の悪循環

図3-6は，あるクライエントの例です。この方については，あとで事例として紹介する予定です。このクライエントは，以前パニック発作をおこした場所に行こうとしたとき，「恐ろしい」という感情を持ちました。その恐怖によって，息切れがしたり，呼吸しにくいと感じたりするようになります。息切れを感じると，「気を失うのではないか，めまいがするのではないか，大勢の前で倒れて大恥をかくのではないか」などと考えます。これがまた，恐怖感情を強くします。このようにして，悪循環がはじまります。

　それでは，こうした悪循環のきっかけはどんなことでしょうか。これは難しい質問です。円にはスタート地点がありません。図3-7に示すように，どこからでもこの悪循環がはじまる可能性があります。

　パニック障害の身体症状と，破局的な解釈の間には，一定の関係があります。これは表3-3に示したとおりです。たとえば，心悸亢進や動悸がおこる

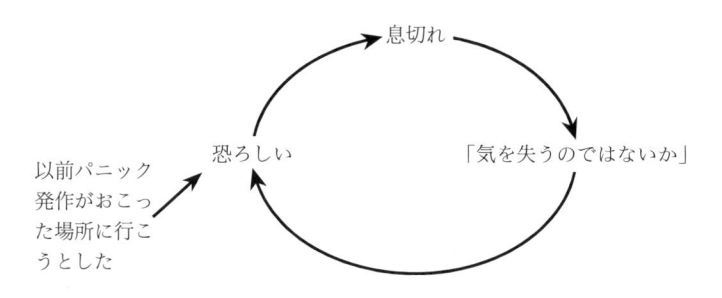

図3-6　パニック障害の悪循環の例

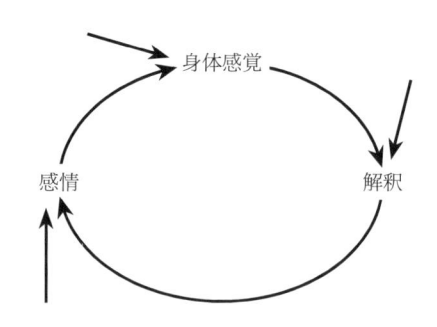

図3-7　悪循環はどこからはじまるか

表3-3　身体感覚と破局的解釈の対応

身体感覚	破局的解釈
心悸亢進，動悸，頻脈	→ 心臓発作だ，心臓が止まる
息苦しさ	→ 息が止まる，窒息する
非現実感	→ 気が狂いそうだ，発狂する
感覚がなくなる，手足がじんじんする	→ 脳卒中になった
めまい，ふらつき	→ 失神する，倒れる，意識を失う
離人感，緊張，混乱	→ 自分の行動が制御できなくなる
めまい，心悸亢進，胸を締めつけられる，動悸	→ 死んでしまう

と，「これは心臓発作だ」と解釈しやすくなります。また，息苦しさがおこると，「窒息するのではないか」と解釈しやすくなり，非現実感を体験すると，「発狂するのではないか」と解釈しやすくなります。心悸亢進がおこると，「発狂するのではないか」と解釈する人はあまりいません。ただし，クライエントによって個人差があるので気をつけなければなりません。

（2）　パニック障害のアセスメント

パニック障害には認知行動療法が有効です。パニック障害への認知行動療法は，表3-4のような手順で行われます。まず，アセスメントを行い，それにもとづいて認知的介入や行動的介入を行います。

1）　最初のパニック発作のアセスメント

アセスメントでは，まず「最初のパニック発作のアセスメント」を行います。

ここでは，実際に私が受け持ったパニック障害の事例を紹介しましょう。クライエントは34歳の女性です。2人の小さなお子さんがいらっしゃいますが，離婚しています。7年前からパニック障害に悩んでいます。7年前，スーパーマーケットで最初のパニック発作を体験しました。

以下では，ビデオを使って，この女性への認知行動療法を見ていただきながら，話を進めていきます。この方は，発作を恐れて外出できないため，私が彼女の自宅に出向いて面接をしました。

表3-4　パニック障害の認知行動療法の手順

1．アセスメント
　　最初のパニック発作のアセスメント
　　「悪循環」のアセスメント
　　「安全希求行動」のアセスメント
2．認知的介入（議論法）
　　破局的な解釈の証拠に挑戦する
　　「安全希求行動」に挑戦する
3．行動的介入
　　「行動的実験」

治療者「最初の発作はどのようなものでしたか」
クライエント「7年前，スーパーマーケットで最初の発作がおこりました。スーパーマーケットを歩いているときに，急にめまいを感じ，心臓の鼓動が速くなりました。冷蔵庫が，自分に向かって倒れてくるように感じました」
治療者「それはきっと恐ろしかったことでしょう」（と共感します）
クライエント「まったく夢のなかにいるような感じでした。胸に痛みを感じて，だんだん目がくらんでいくようでした」
治療者「そのことがおこっているときに，あなたの頭のなかでは一体何がおこっていましたか。最悪の状態では，どういうことがおこると思いましたか？」
クライエント「たぶん死ぬだろうと思いました。心臓発作がおこって私は死ぬだろうと思いました」
治療者「そのような身体の症状がいろいろとあったわけですから，そういうふうに思っても不思議はないですね」（これはあとで述べる「ノーマライジング」という技法です）
クライエント「そのショッピングのカートを持って，会計まで来ましたが，この状態だとここから出られなくなるだろうと感じました。もしもここから出られなかったら，私はそれで死ぬだろうと感じました。もしも出られたら，たぶん生き延びられるだろうとも感じました。実際に外に出ると気持ちが少し楽になりました」

　以上のように，最初のパニック発作の様子がわかりました。

表3−5 「悪循環」のアセスメント

最近のエピソードを思い出してもらう
発作をおこした場面に近づける
最初にどんな兆候があらわれたかを聞く
そこから質問を重ねていく
クライエントが話してくれたことを何度もまとめる
いつもの典型的なパニック発作かどうか確かめる
典型的でない場合は，他の発作を思い出してもらう
「悪循環」を図示する
クライエントと一緒に「悪循環」をチェックする
宿題として，テープを聞きながら自分で「悪循環」を作ってきてもらう

2）「悪循環」のアセスメント

次には，図3−5（45頁）に示したような「悪循環」をアセスメントすることが大切になります。ここが一番大切なところです。悪循環を特定できるか否かが，治療成功のポイントとなります。悪循環のアセスメントの要点を，表3−5に示しました。

表3−5に示すように，まず，最近のパニック発作のことを思い出してもらいます。その時，どこで何をしていたのかを聞いていきます。そして，「あなたを不安にさせた最初の兆候はどんなことでしたか？」とたずねます。慎重に質問を重ねていきます。クライエントの話の重要な部分は，何度もまとめてあげることが大切です。クライエント自身がその悪循環を理解しているかどうかを確かめてください。あるいは，ホームワーク（宿題）として，録音テープを用いて，クライエント自身にその悪循環を見つけ出してもらうこともあります。表3−5のアセスメントは，パニック障害だけでなく，どの障害についても共通するものですので，記憶されるとよいでしょう。

悪循環が目に見える形になってきたら，図3−8に示すような具体的な質問をしていきます。まず，「身体感覚」をはっきりさせるために，「どんなことが身体におこりましたか？」と聞きます。

次に，「解釈」については，「そのような身体感覚がおこったときに，どんなことを考えましたか？」と聞きます。この場合，クライエントは的はずれの答えをすることがあります。たとえば，「そのような身体感覚がおこったときに，どんなことを考えましたか？」とたずねたときに，クライエントは「とにかく

その場から逃げ出したくなった」といった答えをすることもあります。そのようなときは、「もしその場から逃げられなかったら、どのような最悪の事態になると思いましたか？」というように聞き直すと、解釈を明らかにすることができます。

次に「感情」については、たとえば「心臓発作がおこっていると考えたことで、あなたの感情はどのように変わりましたか？」などと聞きます。

その答えを受けて、「身体感覚」について「そのように恐怖を感じたとき、どんなことが身体におこりましたか？」などと、続けて聞いていきます。

このようにして、図3－9に示すように、次々と順番に聞いていきます。するとそのうちに、クライエントは同じような答えを繰り返すようになり、図3－10に示すような"輪"ができてきます。これが悪循環です。慣れないうちは、質問をするときに、鉛筆で紙に書きながら進めるとよいでしょう。頭で全部覚えようとせずに、書きながら作業すれば、スムーズにいくでしょう。

大切なことは、こうした悪循環をクライエントがはっきりと理解することです。はっきりした図を書いて、クライエントに見せて、目に見える形で理解できるようにしてください。

身体感覚
「どんなことが身体におこりましたか？」
↓
解釈
「そのような身体感覚がおこったときに、
どんなことを考えましたか？」
「最悪の事態はどうなると考えましたか？」
↓
感情
「そう考えることで、あなたの感情は
どのように変わりましたか？」

図3－8 「悪循環」を見つけだすための質問

3章　不安障害の認知行動療法

　先ほどの女性の事例で説明しましょう。「一番最近おこったパニック発作」について聞いていきます。

治療者「最近おこったパニック発作を覚えていますか？」
クライエント「はい，月曜日でした」
治療者「あなたはどこにいましたか？」
クライエント「子どもたちがお小遣いを使って買い物をするため，子どもたちをつれて外出していました。寒い日だったので，子どもにコートをかけようとしたら，急に気持ちが悪くなり，体が震えてきて，頭のなかが真っ白になりました」

図3－9　悪循環を見つけだす質問の連鎖

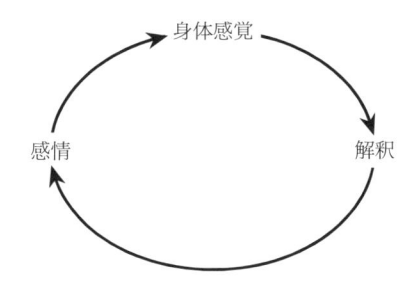

図3－10　クライエントの答えから導かれる悪循環

治療者「他に感じたことはありますか？」
クライエント「心臓がドキドキしてきました。体が熱くなって，呼吸が浅くなってきました」
　ここで治療者は，「あなたはこれこれの身体感覚を感じたのですね」とまとめます。次に，身体感覚への解釈について聞いていきます。
治療者「それでは，これらの感覚を感じていたときに，あなたはどんなことを考えていましたか？」
クライエント「外に出たくないと思いました」
治療者「もし出かけてしまったとしたら，どんな最悪の事態になっていたでしょうか？」
クライエント「気を失って倒れることでしょう。子どもたちはとても幼いので，自分が倒れたら，子どもたちは一体どうしたらよいかわからなくなってしまうでしょう」
治療者「気を失って倒れたり，死ぬかもしれないということが，あなたにとって最悪のことなんですね？」
クライエント「はい。すぐに死ぬということはないでしょうが，あとでそれによって死ぬかもしれません」
治療者「パニック発作のときは，いつもこのような具合なのですか？」
クライエント「はい。いつもこのようなものです」
　ここで，治療者は，これまでの話をまとめ，彼女がどのように感じ，考えていたのかをまとめました。
治療者「気を失って倒れたり，死ぬかもしれないと思うと，どのような感情がわいてきますか？」
クライエント「恐怖です」
治療者「その恐怖によって，あなたの体に何がおこりましたか？」
クライエント「心臓のドキドキがますます悪化していきました」

　このようなやりとりで，だいたい10分かかっています。このようなやりとりから，パニック障害の悪循環が見えてきました。実は，先ほど示した図3－6（46頁）が，このクライエントの悪循環の図式でした。
　このアセスメントの後半を見ていただくと，さらに，図3－11に示すよう

な，新たな悪循環が見つかります。つまり，「身体感覚」が強くなると，「胸の痛み」があらわれて，「死んでしまうのではないか」という解釈があらわれます。これによって，「恐ろしい」という感情はますます強くなります。このように，悪循環は「らせん」をなしていくのです。

このような悪循環をクライエントに理解してもらわないと，あとの治療はうまくいかなくなってしまいます。

3） 安全希求行動のアセスメント

悪循環が明らかになったら，次は「安全希求行動」について明らかにしていきます。

「安全希求行動」とは，クライエントが自分を害から守ろうとする行動です。この点では，「対処行動」と似ています。しかし，対処行動は実際に効果があるのに対し，「安全希求行動」は不安からの逃避であり，効果がありません。対処行動はいわば「善玉」ですが，安全希求行動は「悪玉」です。というのも，「安全希求行動」は，ネガティブな影響を持っているからです。それは反証を妨げるということです。パニック障害の人は「パニック発作がおこると破局的なことがおこる」という誤った信念を持っています。ふつうは，パニック発作は自然に元に戻るので，「パニック発作がおきても破局的なことはおこらない」という反証の学習をすれば，パニック障害はよくなります。ところが，安全希求行動はこのような反証の学習の機会を奪ってしまいます。安全希求行

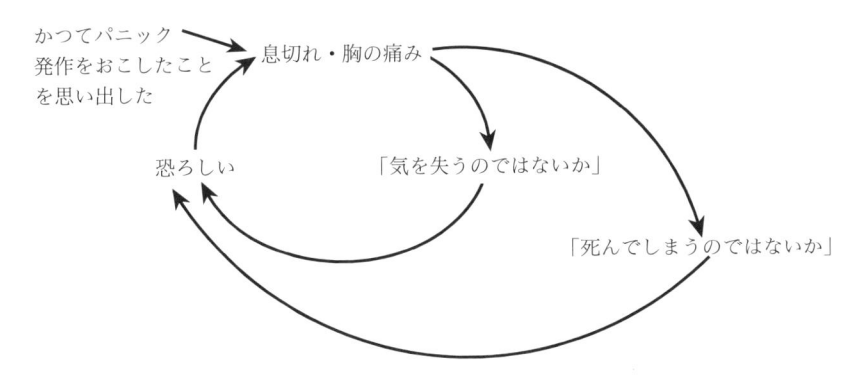

図3－11　パニック発作の第2の悪循環

動をとってしまうと,「パニック発作がおこると破滅的な結果がおこる」という考え方に対して,反証を示す機会がなくなってしまうのです。さらには,「安全希求行動をしたために,自分は破局から救われたのだ」などと,誤って信じてしまいかねないのです。安全希求行動は,パニック障害から抜け出る機会を奪ってしまうことになります。そこで,これを明らかにして,介入していく必要があるのです。

　「安全希求行動」をアセスメントするためには,次のような質問をします。「パニック発作がおこったときに,あなたはどんなことをしましたか？」「破局的なことがおこらないように（たとえば,気を失わないように),あなたはどんなことをやってみましたか？」「それらの行動をしなかったら（たとえば,逃げ出したり,その場に座り込んだりしなかったら),どのような最悪の事態になると思いましたか？」

　先ほどの事例では次のようになりました。

治療者「パニック発作がおこったときに,あなたはどんなことをしましたか？」
クライエント「パニックがおこると,『とにかく息をしなければ』と思って一生懸命息を吸い込みます。そうしないと窒息してしまうからです。また,その場に座り込んでしまいます」
治療者「座り込むことによってどうなるのでしょうか？」
クライエント「座ることによって,心臓への圧力を減らすことができるのです」

　彼女の安全希求行動は,一生懸命に息を吸い込むことと,その場に座り込むことでした。

（3）パニック障害への介入

　以上のようなアセスメントにもとづいて,治療に入ります。
　詳しい技法を述べる前に,認知行動療法の原則について簡単にお話ししておきましょう。要点を表3－6に示しました。
　まず,治療中のやりとりはすべて録音します。そのテープをクライエントに

表3－6　認知行動療法で大切なこと

1．テープに録音する
2．病歴や背景や症状を把握する
3．共感を大切にする
4．ラポールを形成する
5．誘導的な発見
6．ノーマライジング
7．毎週アセスメントする

わたし，次のセッションまでに聞いてくるようにお願いします。このことには2つの利点があります。第1に，治療中に何を話したのか，何が大切だったのかを復習することができます。第2に，クライエントに認知行動療法のやり方を教えることができます。治療中，クライエントは，気分が落ち込んでしまったり，かっとなってしまったりすることがあります。そんなときは，クライエントは論理的に考えられなくなっています。そこで，後で冷静になってからテープを聞くことによって，認知行動療法のやり方を冷静に理解することができます。

第2は，クライエントの病歴や背景や症状をきちんと把握しておくことが大切です。

第3は，「共感」を大切にすることです。認知行動療法は，とりわけクライエントの「感情」に目を向けます。認知療法というと，「認知」ばかり扱うのだと誤解されがちですが，もっとも大切なのは感情を聞いたり共感したりするということです。これは心理療法の基本だと思います。感情を扱うことによって，先ほど述べた「悪循環」を見つけやすくなります。

また，クライエントの感情をきちんと共感的に聞くことで，クライエントとのラポールを作ることができます。これが第4に大切なことです。

第5には，「誘導的な発見」ということです。心理療法というのは，治療者が一方的にクライエントに指示するようなものではありません。これも認知療法に対する誤解のひとつです。クライエントといっしょに考えながら，クライエントが何かを自分で発見できるようにしていきます。それをリードしていくのが治療者の仕事です。

第6は「ノーマライジング」ということです。クライエントは，自分の症状

について，自分だけの異常な現象ではないかと考えて，悩んでいます。そこで，治療者は，クライエントの症状や考え方が「異常なことではないのですよ，あなたひとりがそのようなことを悩んでいるわけではないのですよ」というふうに言ってあげる必要があります。これがノーマライジングです。多くのクライエントは，自分と同じような考えを，普通の人も持っているということを聞くと驚くのです。

　第7は，毎週，症状をアセスメントして，効果を確かめることです。このためには，BDI（Beck Depression Inventory）やBAI（Beck Anxiety Inventory）などの自己記入式の質問紙法で症状をチェックします。また，信念や行動などについても，クライエントが自分でチェックしていきます。

1）　認知的介入：その1　破局的解釈の証拠に挑戦する

　パニック障害への認知行動療法ではいろいろなことを行います。表3－4（48頁）をもう一度ご覧ください。大きく，認知的介入と行動的介入に分けられます。

　まず，認知的な技法から紹介しましょう。これは，クライエントと議論しながら進めていくものです。大きく，「破局的な解釈の証拠に挑戦する」ということと，「安全希求行動に挑戦する」という2つのことを行います。

　「破局的な解釈の証拠に挑戦する」とは，身体感覚に対する破局的な解釈について議論していくことです。

　先ほどの女性の事例で説明しましょう。

治療者「先ほどからのお話で，パニック発作になると死んでしまうのではないかと考えるとおっしゃっていますね。それでは，パニック発作中に死んでしまうのは，確率的にいうとどのくらいだと思いますか。0から100の数字で考えてみてください」（これは「レイティング」という技法です）
クライエント「今考えると，死んでしまうなんてことはないだろうと思えますけれど，パニック発作がおこっている最中は，100％死んでしまうと思いました」
治療者「100％死んでしまうと思ったのですね。それでは，100％死んでしまうと考えることの証拠は何ですか？　あなたがそう考えてしまう根拠はどのよう

なことでしょうか。考えてみましょう」

クライエント「ひとつの証拠は、呼吸がとても苦しいということです。私の父は数年前に心臓発作をおこしたのです。その時の父も、今の私と同じような苦しみを訴えていたのです」

治療者「そういうことがあったのでしたら、あなたが死ぬだろうと思ったことがよくわかります」（と共感します）

治療者「呼吸が苦しいという症状そのものが、パニック発作中に死んでしまうと考える証拠になっているわけですね。それでは、別の状況を考えてみましょう。あなたが恐怖を感じていないときにも、同じような呼吸の苦しさを経験したことはありませんか？ たとえば、あなたが何かで興奮しているときには、息苦しくなりませんか？」

クライエント「そういえば、興奮しているときとか、うれしいときには、同じように息が苦しくなり、心臓がドキドキします。また、怒っているときにも息が苦しくなります」

　このような議論を続けていくと、クライエントは、別に怖くなくても、同じような息苦しさがおこっていることに気がつきました。そのときの身体感覚は、パニック発作のときと同じか、あるいはそれより強いこともあるということに気がつきました。また、息が苦しくなったり心臓がドキドキしたりするのは、アドレナリンというホルモンがひきおこすということも説明します。

治療者「息が苦しいのは同じなのに、それをどのように考えるかによって、パニック発作になったり、ならなかったりするということですね。身体の症状は同じでも、それをどのように考えるかによって、感情は変わってくるということですね」

クライエント「同じ息苦しさでも、考え方を変えれば、パニック発作にはならないということですね」

　ビデオの映像からおわかりのように、それまで彼女は、暗い顔をして目を伏せながら話していましたが、このことに気がつくと、急に表情も明るくなってきましたね。それがよくわかると思います。

　このように、クライエントの破局的な解釈の証拠を詳しく聞いていきます。そして、パニック発作以外でも、パニック発作のような身体感覚を体験するこ

とに気づいてもらいます。身体感覚は同じなのに，どのように解釈するかによって，感情は変わってくるということです。そして，「死んでしまう」といった誤った破局的解釈をしないかぎり，パニック発作には進まないということを知ってもらいます。

2） 認知的介入：その2 「安全希求行動」に挑戦する

まず，安全希求行動ということを理解しやすくするために，たとえ話を使います。

治療者「簡単な例をあげてみましょう。ある男が，電車に乗っていて，小さな紙切れを次々と窓から投げています。車掌がやってきて，『なぜそんなことをしているのか』とたずねます。すると彼は，『象が線路に近づかないように守っているのだ』と答えます。すると車掌は，『バカなことを言わないでください。この線路の近くには象なんかいませんよ』と答えます。その男はわが意を得たりと答えました。『やっぱりそうでしょう。私が紙切れを投げているから，象が線路に近づかないのです』」

この話を聞いて笑い出すクライエントもいます。そこですかさず私はこう言います。

治療者「あなたがパニック発作でやっていることは，どこかこのお話に似ていないでしょうか？　この男は何をすべきだと思いますか？　紙切れを投げ続けるべきでしょうか？　それとも，彼を説得して止めさせるべきでしょうか？　もしあなたがこの男の行動をやめさせようとしたら，その男に何と言ってやったらよいと思いますか？　このお話を聞いて，あなたがやるべきことは何だと思いますか？　あなた自身のパニック障害について，どんなことをしたらよいのでしょうか？」

こうした問いに対して，次のように言うクライエントもいます。「その男が象を怖がっているのだとしたら，私も同じように，いったい何を恐がっているのか調べる必要がありますね」これによって，クライエントは自分から何を恐れているのかを調べる気になります。これは，表3－6（55頁）で述べた「誘導的な発見」ということです。治療者がクライエントに教えるのではなく，ク

ライエントが治療者に，自分ですべきことを述べることが大切なのです。

　次に，「安全希求行動」が実際にどのような働きをしているのか，話し合ったり，実験してみたりします。
　アセスメントのときに，このクライエントの安全希求行動は，一生懸命に息を吸い込むことと，その場に座り込むことであることがわかりました。これに挑戦していきます。

治療者「先ほどあなたは，パニック発作がおこると，『とにかく息をしなければ』と思って一生懸命息を吸い込みますとおっしゃっていましたね。そうしないと窒息してしまうと考えるからですね。そうやって息を吸い込むと，パニック発作は軽くなりますか？」
クライエント「いいえ，ほとんどなんにもなりません」
治療者「また，先ほどあなたは，パニック発作がおこると，その場に座り込んでしまうとおっしゃいましたが，それによってパニック発作は軽くなりますか？」
クライエント「いいえ，ほとんどなんの助けにもなりません」
治療者「それでは，パニック発作をおこしている最中に，どんな感じで呼吸をするのか，ここで見せていただけませんか？」

　これにしたがって，クライエントは荒い呼吸を始めます。これはパニック発作と同じことを始めたわけですから，同じ症状があらわれます。
クライエント「頭がくらくらし始めました」

　どんなことがおこるかを理解してもらうために，もう少し長いこと続けてくれるようにお願いしました。こうしたことをしてもらうためには，クライエントが安心してそれをできるようにしなければなりません。彼女はやや心配になります。そこで，私は次のように言いました。
治療者「このことで別に死んだりすることはありませんから安心してください。それよりも，このことで，パニック発作のときに何がおこっているのかを知ることができますよ」
クライエント「心臓がドキドキしてきました」

このようにして，パニック発作ではないのに，パニック発作のまねをしただけで，同じ身体症状が出てきたことを体験してもらいます。そのような呼吸のしかたこそが，パニック発作の身体感覚を生むのだということを知ってもらいます。

3） 行動的介入：その1　治療室の中での行動的実験

次に，行動的介入についてお話しします。これは「行動的実験」と呼んでいる技法です。その目的は，表3－7にまとめたとおりです。パニック発作の場合は，クライエントが恐れているような破局的なことは実際にはおこらないと気づかせてあげることが目的です。また，悪循環を維持させている要因に気づかせてあげることも大切です。

この事例の場合は，次のように進みました。

治療者「パニック発作がおこると，死ぬかもしれないと思うということでした。窒息してしまわないように，一生懸命息を吸い込むとおっしゃっていました。それでは，息をとめると，窒息するのでしょうか。実際に試してみましょう。そのまえに，簡単な質問をしてよろしいですか。息を止めることだけで自殺ができると思いますか？」

こんなことを言い出すと，クライエントはたいてい驚きます。

治療者「まずはとにかく私がやってみます」

と言って，まず私が息を止めてみます。息を止めたからといって死ぬ人はいませんので，こうした実験をしても大丈夫だということになります。それを見て，その後，クライエントが息を止めてみます。

こうした実験を交互に何回かやってみます。すると，息を止めておくと，体が自然と息をさせるということに気づきます。つまり，息が苦しくなっても，窒息して死ぬことはないと理解できます。「パニック発作がおきても破局的なことはおこらない」という反証の学習をするのです。パニック発作の最中でも，無理して呼吸をしようとする必要はないのです。

こうした行動的実験をふつうは治療室で行いますが，彼女の場合は家でやってもらいました。このような実験がうまくいってから，治療者は以下のように

表3-7　行動的介入の目的

- 破局的な誤解釈が重要な働きをしていることに，クライエントが気づく
- 破局的なことはおこらないということを，クライエントが発見できる
- 「安全希求行動」は意味がないことを，クライエントが発見できる
- パニック障害を持続させる要因に，クライエントが気づく

提案しました。

治療者「いままで勉強してきたことを，実際の場面でどのくらいできるか試してみるには，どうしたらよいでしょうか」

そこで，次には，ショッピングモールで実験をすることにしました。

4） 行動的介入：その2　治療室の外での行動的実験

こうしてショッピングモールへクライエントとふたりで出かけていって，行動的実験をしました。

ショッピングモールでは，クライエントに端から端まで歩いてもらいました。そして，彼女を見ている人がいるかどうかを確かめさせました。すると，誰一人として0.5秒ほども彼女を見ていないということに，彼女は気づきます。

治療者「逆に，今歩いてもらってあなたはいろいろな人を見たと思いますが，そのうち何人のことをあなたは覚えていますか」
クライエント「誰も覚えていません」
治療者「ということは，他の人も，あなたのことを覚えていないということですね」

それがわかると，彼女はとても落ち着いた気分になりました。
治療者「次に，試しに，私が歩き回りながら，少し変な行動をしてみます。誰かが私を見ているかどうか，確かめていてください」

そして，私は壁にぶつかったり，はしゃいだり，変な動作をしながら歩きました。後で彼女に聞いてみると，私が壁にぶつかったときに，ひとりの人が私を見ていただけで，その他の人は，まったく私に気をとめていなかったという

ことでした。こうして，たとえ彼女がパニック発作で倒れたりしゃがんだりしても，誰もびっくりしたりしないのだということに，彼女は気づきました。

最後に，あるスーパーマーケットに行きました。そのスーパーマーケットは，彼女がはじめてパニック発作をおこした場所です。彼女は6年間，そのスーパーに入れませんでした。今でも，そこに行くと，最悪のこと（冷蔵庫が倒れてきてその下敷きになるとか，心臓発作で死んでしまうこと）がおこると考えてしまいます。そうした「最悪のことがおこる」という考え方に挑戦するために，彼女と私は実験を行いました。

彼女には，冷蔵庫に近づいて，それに頭を近づけたり，冷蔵庫に寄りかかるという行動をしてもらいました。彼女は，冷蔵庫が倒れてくると思い込んでいるので，冷蔵庫に近づくことにとても恐怖を感じるのです。その恐怖をがまんして，冷蔵庫に寄りかかってもらうと，何とかうまく成功しました。他の人からみると，冷蔵庫に寄りかかるなんてことは，まったくたいしたことではないのですが，彼女にとっては大きな進歩でした。彼女は，冷蔵庫は倒れてこないという証拠を得ることができたのです。「最悪のことがおこる」という考え方に対する反証を得ることができました。

ここまでクライエントに対して行ったことを要約してみます。
①悪循環がパニック障害に大きく影響していることを確認しました。②破局的な解釈や安全希求行動についてクライエントと議論しました。③クライエントが恐れている場所に行って，行動的実験を行いました。

以上，すべての治療にかかった時間は，たった3時間でした。これだけで，パニック障害の治療はうまくいきました。その1週間後に，フォローアップ・セッションを1回行いました。今では，このクライエントは，パニック障害もなくなり，休みになると海外旅行などにも出かけるようになったそうです。ときどき旅先から絵はがきなどをいただきます。

（4） 強迫性障害への認知行動療法

次に，強迫性障害への認知行動療法についてお話しします。ここでは，とくにパニック障害の治療と異なる点についてお話しします。その要点は，表3－8にまとめました。

表3-8　強迫性障害の認知行動療法

アセスメント
・理解されていると患者に感じさせる
・別の説明ができないか考える
治　療
・変化することのリスクを受け入れてもらう
・別の説明を実際に試し，その結果を吟味するのを援助する

表3-9　ノーマライジング

ノーマライジングの目的
・クライエントを安心させる
　「そのような考えが思い浮かぶことは，全然驚くようなことではないんですよ」
ノーマライジングによって理解してもらうこと
・侵入思考という体験が正常であること
・この体験が日々の生活のかなりの部分を占めること
・ポジティブな侵入思考も存在すること

1）強迫性障害

　強迫性障害は，振り払うことが難しい強迫観念と，繰り返される強迫行為からなっています。強迫観念はありふれたものですが，それが頭から離れず，強い苦痛をもたらすようになると，強迫性障害になります。

　パニック障害の治療と強迫性障害の治療には，やや違いがあります。そうした治療の違いは，症状の違いによります。パニック障害のクライエントでは，パニック発作によって死んだりする可能性がないということを確かめることが治療になりました。これに対して，強迫性障害のクライエントは，信念のタイプが異なります。たとえば，神を冒瀆するようなことを考えた結果，死んだときに地獄に落ちてしまうかもしれないと考えます。そうした考え方を，行動的実験によって確かめることはできません。だから，治療では，そのクライエントの信念とは別の解釈，より苦痛でない解釈を見つけていくことになります。

　強迫性障害の治療は，「ノーマライジング」から始まります。ノーマライジングについては，表3-9にまとめました。強迫性障害のクライエントは，侵入思考を体験するのは，自分だけであり，それはたいへん恐ろしいことだと思っているのです。侵入思考について口に出すと災いがおきるという信念を持っている場合もあります。それに対して，侵入思考は誰しも体験していることを

表3-10 強迫性障害のアセスメント

・最近のエピソードを思い出してもらう
・悪循環を明らかにする
　　侵入思考→解釈→反応→侵入思考……
・最近のエピソードの中から，侵入思考が生じたのに気にならなかったケースを見つけ出す。そして，違いを議論し明らかにする。

理解してもらいます。場合によっては，侵入思考にどのような意義があるのかを考えることもあります。意図せず浮かんでくる侵入思考は，ひょっとしたら問題解決や創造性を助けてくれるかも知れません。強迫性障害のクライエントは，自分たちと同じような考えを，普通の人も体験しているという事実を知ると驚き，そして安心を覚えます。

2） 強迫性障害のアセスメント

次に，強迫性障害のアセスメントについて，要点を表3-10にまとめました。アセスメントは，パニック障害と同じように，最近のエピソードを思い出してもらうことから始めます。しかし，質問は多少異なった順序となります。

意識に割り込んでくる振り払えない考え，つまり「侵入思考」が出発点となります。まず，侵入思考が浮かんだときに，それをどのように解釈したかをたずねます。次に，それに対してどのように反応したかをたずねます。そして，そのような反応が侵入思考にどのように影響したか，というサイクルを明らかにします。一方で，侵入思考が生じたのにもかかわらず，落ち着いて対処できたときのことを思い出してもらうこともします。たいてい，この違いは，侵入思考をどう解釈するかによって決まります。もし思考の解釈を変えることができるなら，何も苦しむことはなくなるだろうと考えることができます。このようなアセスメントを通じて，「強迫観念が浮かんでも，必ず苦しむ必要はない」ということを理解してもらうのがねらいです。また，理解されたという感覚をクライエントにもってもらうことが重要です。

より苦痛でない解釈を見つけることの重要さを理解してもらうためには，強迫観念に苦しみ続けるコストに注目させることが必要です。そこで，クライエントにバランスシートを書いてもらう技法を用います。紙を左右に2つにわけて，一方には強迫的であることの利点を，もう一方には強迫的であることの欠

点を書きます。続けて同じように，強迫的でないことの利点と欠点を書きます。

3） 強迫性障害への介入

より苦痛でない解釈を見つける過程で，クライエントがリスクをおかすことを納得し，受け入れてもらう必要があります。ここが強迫性障害の治療の難しい点です。ここでは，このような治療への導入に重点をおいて，例をあげて説明しましょう。

あるクライエントが次のようにたずねてきました。

クライエント「私は2時間ドアを確認しました。こんなことをしないほうがいいだろうとは思います。こんなことをしなくとも，何も盗まれないのだということを保証していただけませんか？」

このような保証が治療者にできないことは明らかです。そういうとき，私はこう答えます。

治療者「いいえ，そうした保証は私にはできません。そうではなく，別の保証をしてあげましょう。もし，あなたが確認行為を続けるならば，一生の間，強迫症状に苦しむことになります。それは保証できます」

続けて，次のようにたずねます。

治療者「考えてください。もし，あなたの強迫観念というのを，すべてなくすことができる方法があったとします。ただし，その代償として，あなたはあなたの家にあるすべてのものを貧しい人に寄付しなければなりません。あなたは，その寄付をする覚悟はありますか？」

たいていのクライエントは，それはいいアイディアだと言います。さらに私は言います。

治療者「あなたはそんなことはしなくてもよいのですよ。あなたはすべての持ち物を手放す必要はありません。ただ，物を失うかもしれないというリスクを受け入れさえすればよいのですから」

すべてを盗まれるというリスクならがまんできるかもしれませんが，もしわが子が死ぬといったリスクならたいへんです。手を洗わなければ，わが子が死

ぬかも知れない，という考え方は，実験によって確かめることはできません。この場合，上と同じようなテクニックを若干変えて用います。クライエントは，1％の100万分の1しかないリスクを，手を洗うことによってさらにほんの少しだけ減らしているのかもしれません。しかし，この手を洗う症状に苦しむコストは莫大なものです。クライエントは，苦痛な強迫性障害から逃れるために，ごくわずかなリスクを負えばよいのです。このリスクを受け入れられるように患者を励まします。「そのリスクをとるということは，ある意味で言うと，あなたは良くなりたいということを示しているんですよ」と言ってあげることもできます。

　ここでは，いろいろなたとえ話を使います。

治療者「あなたは小さなリスクにとらわれていますが，これは私には保険のようなものだと思えるのです。あなたが家に保険をかけることで，おこりうるすべてのリスクをカバーできると思いますか？」
クライエント「そんなことはできません。たとえば戦争行為のような免責事項はカバーしてもらえませんから」
治療者「実は，すべてのリスクをカバーする保険があるんですよ。いかがですか？　ただし，その保険に入るためには，毎年20億ポンドを払うことになります」
クライエント「そんな高い保険には，とても加入できません」
治療者「あなたが抱えている強迫の問題も，これに似ていると思われます。あなたは自分自身に保険をかけていますが，何を払っているでしょうか？　それはお金ではありません。あなたが払っているのは，人間関係，仕事，幸せなどすべてです」

　別のたとえ話もあります。

治療者「あなたの子どもか，友達の子どもが，次のような状況にいることを想像してください。その子が，学校にいじめっ子がいて，金を要求するのだと，あなたに訴えています。いじめっ子に金をやるように，その子に言いますか？」
クライエント「いいえ」
治療者「なぜそうしないのですか？　なぜ金をやるように言わないのかを説明

表3-11 強迫性障害の認知行動療法：逆効果をもたらす対処法の理解と検証

逆効果をもたらす対処法の理解：
・「穴から出るためにさらに深く穴を掘っているようなものですよ……。もしかしたら、もっといい鋤が必要なんじゃないですか？」
対処法の検証：
・症状を維持する行動を意図的にやってもらう（治療室の内と外で）
・例：思考抑制を行うかどうかで思考の頻度がどう変わるかをみる

してください。これはちょうど強迫性障害に似ていますね。強迫性障害はあなたに金をくれと脅迫するいじめっ子です。お金をあげるほど相手は図に乗ってきます」

こうして、クライエントは、いじめっ子にお金を与えるのをやめなければ永遠に与え続けなければならないこと、つまり行動を変えなければならないことに気づくのです。

このような理解が共有できれば、強迫症状について、別の解釈をするとどうなるのか、もとの解釈はどのような影響（苦痛）を生じさせているのかを話し合い、行動的実験で確かめていきます。また、強迫性障害に特有の、逆効果をもたらす対処法を明らかにして、それを検証する技法を用います。これについては表3-11を参照してください。たとえば、思考抑制によって強迫観念がかえって頻繁に浮かぶようになることを実験したりするのです。

強迫性障害の人は、何か恐ろしいことがおきた場合、その責任が自分にあると感じてしまうため、なかなか行動に移れないでいます。そこで、エクスポージャーを行う場合、まず治療者が責任を引き受けるという形で導入し、しだいにクライエント自身の責任でエクスポージャーを行えるようにしたりもします。

4. 効果研究：不安の認知行動療法の効果

（1） 治療の効果研究

次に認知行動療法の効果について、これまでわかっていることをまとめてみます。

表3-12 どのような療法がどのような人に効くか：一般成人に対する心理療法の有効性 (Roth & Fonagy, 1996)

障害	認知行動療法	対人関係療法	家族療法	力動的心理療法	一般的なカウンセリング
うつ病	○	○	?	△	?
パニック障害/広場恐怖	○	?	?	?	?
全般性不安障害	○	?	?	?	?
単一恐怖	○	?	?	?	?
社会恐怖	○	?	?	?	?
強迫性障害	○	?	?	?	?
外傷後ストレス障害	○	?	?	△	?
摂食障害	○	○	△	?	?
人格障害	○	?	?	△	?
精神分裂病	△	?	○	?	?
躁うつ病	?	?	?	?	?

○：著明な効果
△：一応の効果または部分的な効果
?：現段階では妥当性があまりない（効果を判定するだけの十分な証拠がないものも含む。ある特定の療法が無効であることを示す十分な証拠があるわけではない）。

1996年に，「どの治療法が誰に効くのか」"What Works for Whom"という本が出版されました。英国政府の要請を受けて，精神分析の専門家であるロスとフォナギーが，さまざまな研究をレビューした本です。

その結果を表3-12に示します。上から，うつ病，パニック障害/広場恐怖，全般性不安障害，単一恐怖，社会恐怖，強迫性障害，外傷後ストレス障害，摂食障害，人格障害，精神分裂病，躁うつ病があげられています。上には，心理療法のさまざまな手法が並んでいます。左から，認知行動療法，対人関係療法，家族療法，力動的心理療法，一般的なカウンセリングです。明らかに効果のあるものには「○」，一応の効果があるものには「△」，現在のところ効果が実証されていないものには「?」がつけられています。この表にあるとおり，認知行動療法は，ほとんどすべての項目に「○」がついています。他の技法については，「?」が多いという結果になっています。この表を作ったのは，認知行動療法ではなく精神分析の専門家であることに注意してください。

次に，図3-12は，不安障害に対する認知行動療法の効果をまとめたものです。認知行動療法は，どの障害についてもかなり高い治療効果が見られます。

（2）　臨床場面での効果

実際の臨床場面における有効性はどうでしょうか。まず，治療を受け入れないクライエントがいますから，その割合を考慮しなくてはいけません。また，症状の改善だけではなく，症状が完治した人の割合も考慮しなければなりません。さらに，短期的な効果だけではなく，長期的な予後も見る必要があります。

このような観点から，先ほどのデータを分析しなおしますと，図3-13のようになります。図3-12ほど良い結果ではありません。しかし，薬物療法や他の心理療法に比べるとやはり，認知行動療法は優れた成果をあげているのです。

（3）　治療の所要時間

また，治療の所要時間も大切です。図3-14は，治療に必要な時間を示して

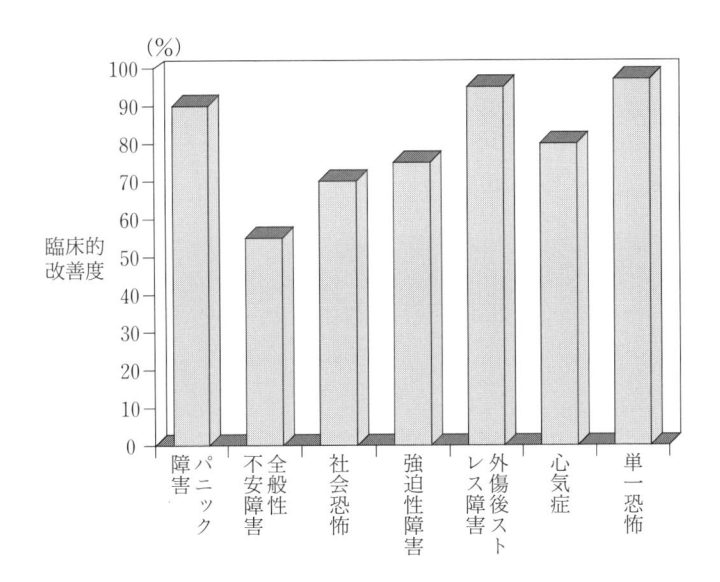

図3-12　不安障害に対する認知行動療法の効果（その1）

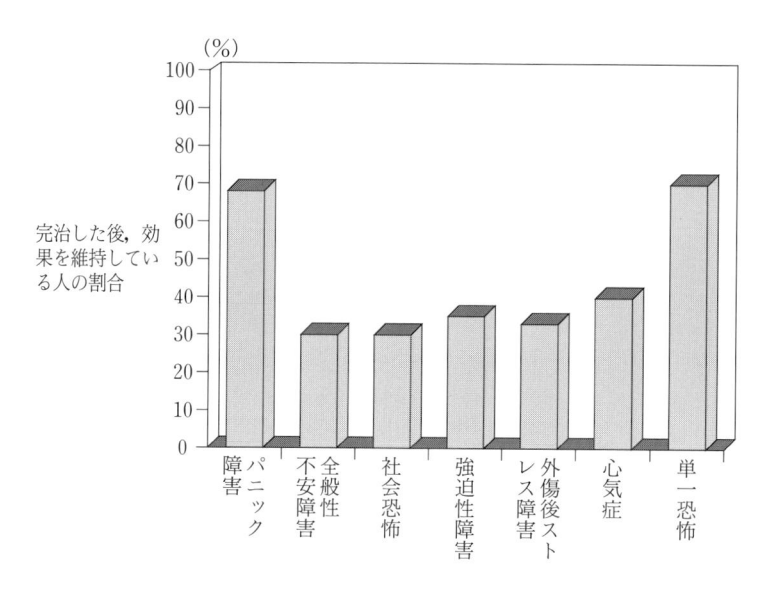

図3−13　不安障害に対する認知行動療法の効果（その2）

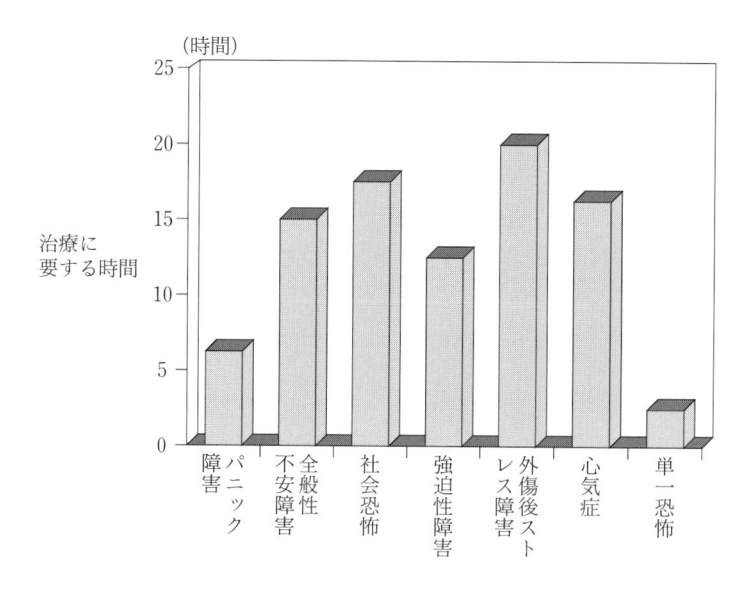

図3−14　不安障害に対する認知行動療法に要する時間

います。たとえば，パニック障害はとても短く，7時間で効果が出ます。これに対して，最も長いのは，外傷後ストレス障害であり，22時間となっています。

　パニック障害や単一恐怖の治療はここまで進歩しました。以前からこうだったわけではありません。かつては，パニック障害の治療にも20～25時間ほどかかっていました。それが，この10年ほどで劇的に短縮されたのです。

　どうして，このようなことが可能になったのでしょうか。実は，心理療法に費やされる時間の大半は，あまり役に立っていません。あえて言えば，心理療法に費やす時間の8割は，クライエントの役に立っていないと思います。では，役に立っている2割の時間は，いったい何をしているのでしょうか。パニック障害に対する認知行動療法では，この役に立つ2割の時間の中身がわかってきたのです。そこで，不必要な時間を削って，より凝縮された治療を行うことができたのです。こうして7時間まで短縮することができたというわけです。他の不安障害についても同じことがおこりつつあります。たとえば，私たちの研究グループは，心気症に取り組んでいます。まだ予備的な段階ではありますが，かなり高い治療効果をあげています。認知行動療法は急速に進歩しています。とてもエキサイティングな状況にあります。

　ところで，精神分析療法の治療効果はどうでしょうか。残念ながら，精神分析の領域では，症状がどれくらい改善したかは測定されていません。というのも，要因が測定可能なものではないからです。ただ，所要時間は測ることができます。典型的なケースでだいたい700時間を費やしています。これだけの時間をかけることは，決して不合理ではないと私は考えています。しかし，いかがでしょうか。やはり，最も効果のある治療法を用いるという原則からいうと，精神分析は不安障害に関する第1選択とはいえないように思われます。

5．実験研究：不安の認知行動療法の実験研究

　実験研究は非常に大切です。とくに，臨床実践で得られたものを，実験研究で確かめ，さらにそれを臨床実践に戻すという往復運動が必要です。こうした往復運動の実際について，エクスポージャー法の研究をとりあげてみましょう。認知行動療法では，エクスポージャー法がよく用いられています。しか

し，エクスポージャー法がなぜ治療効果があるのかについては，実験研究でしか確かめることはできないのです。

これまでの行動療法では，エクスポージャー法は，恐怖刺激に慣れるために用いられてきました。ところが，認知療法では，エクスポージャー法は別の目的に使われてきました。つまり，恐怖の対象にさらされても，恐れている事態が実際にはおこらないのだということをクライエントに気づかせるために，エクスポージャー法を用いるのです。

こうした2つの用い方のどちらが正しいのでしょうか。どちらが有効なのでしょうか。これを調べるために，私たちは実験研究を行いました。実験の被験者は，広場恐怖を持つクライエントでした。被験者に，町の人混みの中を歩いてもらい，どれだけ恐怖だったかを評定してもらいました。

この実験では，①これまでのような行動療法的エクスポージャー法と，②認知療法的エクスポージャー法とを比べました。①の行動療法的エクスポージャー法では，恐怖刺激（町の人混み）に慣れるためにエクスポージャー法を行いました。

これに対して，②の認知療法的エクスポージャー法では，恐怖刺激に接しても何もおこらないという反証を示すために，エクスポージャー法を行います。具体的には，実験者が，被験者に付き添いながら，「恐怖刺激（町の人混み）に接しても何もおこりませんね」と確かめ，恐怖の信念に対して反証を与えました。

実験の仮説は，①よりも②のほうが治療効果が大きいというものでした。

私たちは，これに関連して，2つの研究を行いました。第1研究は，ごく短い理論的な研究でした。第2研究はより大規模なものでした。

こうした研究を行った結果，仮説を支持する結果が得られました。

まず，治療を始める前には，①と②の群に差はありませんでした。ところが，治療後には，仮説どおり，①よりも②のほうが治療効果が大きかったのです。

したがって，恐怖刺激に接しても何もおこらないという反証を示すために，エクスポージャー法を行うことが有効であることが証明されました。こうした実験の結果が，臨床実践の場にすぐに役立つことはいうまでもありません。

6．今後の課題

認知行動療法にとって，今後どのようなことが必要でしょうか。

まず，私たちが直面しなくてはならないのは厳しい現実です。私たちが手を差し伸べてもとても救うことができないくらい，多くのクライエントが治療を必要としています。

図3－15は，不安障害のさまざまな段階を示しています。まず，一番上の部分には，軽い症状の方々が大勢います。このような方々については，たとえば一般開業医や看護師などに対して，認知行動療法のトレーニングを行うことで，治療してもらうことができます。たとえば，ここで紹介したパニック障害に対する認知行動療法は，5日ほどのトレーニングでできます。また，継続的なスーパービジョンがあれば，そのレベルを維持することもできるでしょう。これに対し，図3－15の一番下にあるように，慢性的な問題や複数の障害を持つ方々に対しては，そのような方法は通用しません。これらの方々に対しては，より高度な技能について長期のトレーニングを積んだ専門家が必要になってきます。

私たちが英国で行っている研究プロジェクトでは，次のようなことを行っています。まず，現在の治療では効果がないクライエントに対しても，治療を行っていく必要があります。また，治療効果を低めてしまう要素を見つけ出し，

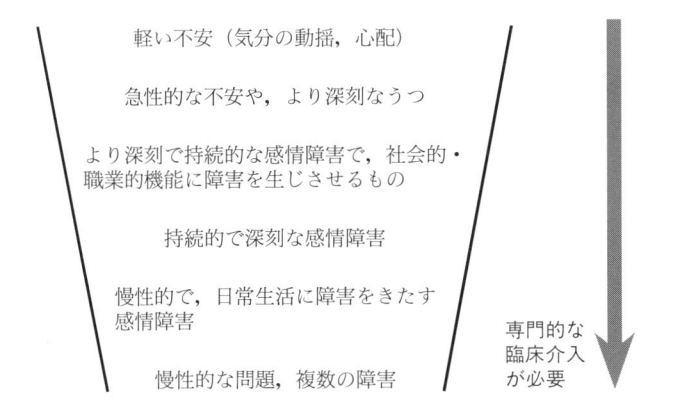

図3－15　認知行動療法の対象

克服したいと考えています。たとえば，アルコールの乱用は治療効果を低めてしまいます。このような要素を特定し，排除できれば，きちんとした治療ができます。ビデオなどを用いたスーパービジョンも用いられるべきでしょう。また，これまでは，たとえば週1時間の心理療法を定期的に行うという考え方でしたが，これからは，たとえば一日仕事を休んでもらって，その日に集中的に行うというようなやり方も必要でしょう。

　それぞれの社会や文化も考慮しなくてはいけません。社会恐怖はその一例です。また，たとえば欧米の認知行動療法を日本で行う場合には，日本に合うように適応させる必要があるでしょう。

　日本にも認知行動療法が根付くことを強く期待しております。幸い，2004年には，神戸で国際認知行動療法学会が開かれることになっています。日本のみなさまにお話しさせていただいたことを，たいへん光栄に思っています。ありがとうございました。

4 章
バーチウッドはどのような臨床研究をしているか

石垣琢麿

　バーチウッドの研究を概観すると，基礎的な研究から臨床研究まで，幅広い領域を満遍なく網羅しているのにまず驚きます。英国では，臨床心理士を育成する大学院教育において，徹底的に認知行動療法を教育され，また，学位論文は科学論文としての内容に加え，必ず事例研究を含まなくてはならないそうです（丹野，2001）。彼の一連の研究は，こうした充実した臨床心理学教育のたまものであり，英国においても後輩が参考にすべきひとつのモデルケースなのではないかと思われます。

　彼が長い間取り組んでいるテーマはすべて，研究のための研究ではなく，患者さんやその家族を含む関係者全員が直面している現実的な問題を扱っており，ともに戦おうという気迫に満ちています。彼はクライエントの声を真摯に聞き，何とかしてその苦しみを軽くしたいという強い動機を持って研究しています。言葉で言うのは簡単で，「臨床家ならば当たり前だろう」と思われるかもしれませんが，仕事への慣れやルーチン化を乗り越え，常に基礎的研究と臨床とのバランスを考えながらこうした動機を実際に維持し続けるのは，とても難しいことです。

　この基礎と臨床の研究上のバランスという点が，私たちが最も学ばなければならない重要なポイントではないでしょうか。日本ではともすると基礎的研究者と臨床家との間の乖離がみられるからです。ちなみに，ここでいうところの基礎的研究とは，知覚・認知や生理的分野を受け持っている実験心理学だけをさすのではなく，健常者の心理一般や「マイルドな」異常を扱う分野，あるい

は実証的な研究姿勢を持つ臨床研究までも含むと考えてください。

　臨床家としての意識や技量を向上させるために，事例が大切であることは当然のことですし，生活者である人間を扱う以上，自然科学と異なる方法論が必要であることも理解できます。しかしながら，そうしたことは，実証研究から見出されるエビデンスを軽視してよいことにはつながりません。個別性とエビデンスの両方を常に見つめつつ「今，ここ」に臨むのは，ある意味で当たり前のことではないでしょうか。また，基礎的研究者も，自己満足的な研究に終始することなく，臨床家にとって有意義であり，かつクライエントの幸福につながる研究をもっとアピールすべきではないでしょうか。もちろん両者の融合が現実として難しいことは十分わかるのですが，バーチウッドのなかにひとつの指針を見出すことは可能です。日本の臨床心理学として独自の方向性を打ち出すためにも，彼の研究の軌跡を素直に見つめてみることが大切だと思います。

　さて，バーチウッドの研究業績は，下記のようにいくつかのカテゴリーに分類できます。

1．分裂病の包括的心理学モデルの構築
2．幻聴の認知療法
3．分裂病の早期介入・再発防止
4．分裂病の抑うつ
5．分裂病の家族介入・家族教育
6．その他

　このリストからもわかるように，彼はその臨床と研究の対象を主に分裂病とその類縁疾患に置いてきました。日本では分裂病というと精神科医が対応するものという意識が強く，臨床心理学から分裂病を考える研究は少ないので，この点でも彼から学ぶべきことはたくさんあると思われます。分裂病の研究・臨床に臨床心理士が貢献できることはまだまだ山ほどあるはずです。

　分裂病には解体型・妄想型・緊張型などといったサブタイプが存在しますが，バーチウッドはこうした病理学上の分類をほとんど考慮していません。分裂病が一つの疾患単位を構成するかどうかという問題は今も議論されつづけています。一つに定義できる病気ではなく，さまざまな症状の集合体（＝症候群）ではないかという考え方は昔からあったのですが，臨床心理学としてクライエントの福祉に実際に貢献するためには，混沌とした分裂病概念を扱うよ

り，明確な症状の一つひとつを対象にしたほうが都合のよいことがわかってきました。丹野（2000）はこうした研究動向を紹介し，「症状中心アプローチ」と名づけています。

以下，バーチウッドの研究を順に見ていきましょう。

1．分裂病の包括的心理学モデル

英国では臨床心理士が分裂病の援助や治療に深くタッチしており，分裂病の病理研究やケアの実践は臨床心理士にとって中心的課題のひとつになっています。バーチウッドとマンチェスター大学のタリアが編集した『精神分裂病に対する心理学的マネージメントの普及』（Birchwood & Tarrier, 1992）には，英国での分裂病援助研究と活動の実際が，あますところなく掲載されています。

この本は，大きく3部に分かれています。第1部は「アセスメント」と題され，ロンドン大学のガレティやシェフィールド大学のターピンらの論文が収められています。第2部は「治療」と題され，家族介入（マンチェスター大学のバロウクロウ），ソーシャルスキル訓練（UCLAのバッカロー），再発モニタリング・システム（バーチウッド），症状対処ストラテジー増強法（タリア），慢性症状への介入（オックスフォード大学のホールら）についての論文が収録されています。このうち，ホールについては，その著作『臨床心理学とは何か』が日本でも出版される予定です（下山晴彦訳）。第3部は「サービス」と題され，継続ケア，家族介入，サービスのプランニングについての研究と実践が紹介されています。この本の著者たちは，英国の臨床心理学の中心的なメンバーであり，このことからも分裂病への援助が，英国の臨床心理学の中心課題であることがうかがえます。この本に対する反響は大きく，1994年には，続編が同じ出版社から出されています。

話が前後しますが，ここでバーチウッドの略歴を紹介したいと思います。バーチウッドは，現在，バーミンガム大学心理学部の教授をしています。河合隼雄氏と同じく，バーチウッドは大学で数学を専攻した後，臨床心理学に転じました。バーミンガム大学で臨床心理学の訓練を受け，そこでずっと臨床実践を続けています。現在は教授をつとめるとともに，北バーミンガム心理保健機関に所属しています。この機関では，「早期介入サービス」の責任者をつとめ，

地域の心理医療サービスの仕事をしています。

　バーチウッドたちは，それまでの長年の臨床活動をもとにして，1988年に『精神分裂病：研究・治療への統合的アプローチ』という本をまとめています(Birchwood, Hallett & Preston, 1988)。この本は，分裂病の生物学的研究・心理学的研究・社会学的研究を広い視野から総説し，その統合を試みた大著です。1990年代の異常心理学は，生物－心理－社会の視点の分化を深めその統合をはかろうとする考え方（bio-psycho-social model）を強調することが多いのですが（丹野，2002），バーチウッドらのこの本はその先駆けともいえるものです。分裂病はこれまで，生物学的な素因（脆弱性）だけが強調される傾向がありましたが，それに劣らず，心理学的要因と社会学的要因（ストレッサー）が重要であるという研究結果が多く出ています。このような「素因ストレスモデル」から，バーチウッドらは分裂病の発病と再発をモデル化しています。このモデルにもとづいて，生物学的治療・心理学的治療・社会学的治療についても詳しくレビューしています。心理学的治療については，行動療法・認知療法・自己マネジメント法・神経心理学的技法などをとりあげ，また，社会学的治療については，生活技能訓練・ストレス介入法・家族介入法・トークンエコノミー法・リハビリテーション法などをとりあげて，ていねいに紹介しています。このような心理・社会的介入法は，臨床心理士が中心となって行われており，日本の臨床心理士も取り入れていくべきだろうと思われます。

　ところで，後にバーチウッドは，この大著の要約ともいうべき珠玉の論文を書いており（Birchwood & Preston, 1991），それがドライデンとレントゥル編『認知臨床心理学入門』に収録されています（丹野 監訳，1996）。さらに，バーチウッドは最近の心理学研究をまとめて，コンパクトな『精神分裂病』という本を出しています（Birchwood & Jackson, 2001）。

　バーチウッドの包括的心理学モデルは，分裂病の治療を心理学の観点から見直すものであり，心理学者の手になる分裂病論として見本となるような本といえるでしょう。このようなしっかりした本が，日本の臨床心理学のなかからも生まれてほしいものです。そのような兆しはいくつかあります。たとえば，2001年の日本心理臨床学会におけるバーチウッドの「分裂病の心理学的マネジメント」という講演は，大教室に立ち見ができるほどの大盛況でした。また，同じ学会では，「精神分裂病の臨床心理学――最前線からの報告とこれからの

課題」と題するシンポジウムが行われ，最前線で取り組んでいる臨床家がその活動や研究について議論しました。このシンポジウムも大教室に立ち見ができるほどの大盛況でした。精神分裂病に対する心理学的マネジメントへの臨床心理士の関心はきわめて強いものがあることを思い知らされました。このシンポジウムをまとめた本は，別の出版社から刊行される予定ですし，2002年以後もいろいろな心理学の学会で，分裂病についてのシンポジウムを続けていく予定です。

今後，わが国の若い世代から分裂病の新しい臨床研究がおこってくることを期待したいと思います。

2．幻聴の認知療法

バーチウッドは症状中心アプローチにしたがって，幻聴症状を対象とした試みを続けています。分裂病の治療において薬物療法がファースト・チョイスであることは洋の東西を問わない事実です。しかし，他の症状は薬物療法で改善しても幻聴が強く残ってしまい，クライエントの生活を脅かし続けるという例が多く存在するということもまた事実です。そこで薬物療法とタイアップする形で心理療法の実践と精緻化が必要とされるわけです。詳しくはユスポフら（1998）や石垣（2001）の著作を参考にしてください。

行動療法的な手法だけでは症状の改善につながらない場合が多いということは，実際に患者さんたちに接していて強く感じることです。発生原因が何であるかは別にして，幻聴とは，実際には生じていないはずの声や音を「信じる」ことに問題があるのであって，この認知的な部分を理解し修正することを目標にしなければ，抜本的な対策とはいえないからです。ソーシャル・スキル・トレーニング（SST）の発展によって，患者さんの状態に応じた幻聴への対処行動の指導は洗練されてきましたので，行動レベルからさらに踏み込んだ認知レベルの歪みを修正可能かどうかという点を議論する必要があります。

そこで1990年代に入って，アセスメントも含めた認知療法の開発が精力的に行われるようになりました。チャドウィックとバーチウッドは1994年に「声の万能感——幻聴への認知的アプローチ（The omnipotence of voices: a cognitive approach to auditory hallucinations）」という論文を発表し，分裂

病における薬剤抵抗性の幻聴を理解し介入する新しい認知的アプローチを提案しました（Chadwick & Birchwood, 1994）。この論文で扱われているのは，幻聴のなかでも人の声として聞こえる，いわゆる「幻声」です。

まず，持続的な幻聴のある患者さんの行動・認知・感情的反応を詳しく検討するために，Cognitive Assessment of Voices と名づけられた半構造化面接を用いた調査が行われました。その結果，すべての患者さんは声を万能全知のものととらえており，声の主 identity と意味に関する信念によって，声は「善意 benevolent」と「悪意 malevolent」のどちらかに解釈されていることがわかりました。すべての患者さんで，悪意ととらえられている声に対しては恐怖と抵抗が生じていましたが，善意ととらえられている声に対しては従順な行動をとっていました。これを表にまとめると表4－1のようになります。

このような事例研究を積み重ねて，チャドウィックとバーチウッドは表4－2のような理論を提出しました。これによると，幻聴（A）に対して，人は一定の認知（B）をし，それが感情（C）と行動（D）をもたらします。

幻聴（A）には，ネガティブな内容（悪いことを命令したり批判したりするもの）とポジティブな内容（忠告してくれたりするもの）があります。

認知（B）は，悪意的な解釈と善意的な解釈に分けられます。前者はたとえば「悪魔が悪意を持って話してくる」といったものであり，後者はたとえば「神が善意を持って話してくれる」といったものです。

幻聴による感情（C）は，ネガティブなもの（恐怖・不安・怒り・抑うつ）とポジティブなもの（安心・喜び・楽しみ）があります。

幻聴に対する行動（D）としては，抵抗行動（声と言い争う・声に言い返すなど）と協調行動（声と協調する・声に耳を傾けるなど）があります。

ここで重要なことは，幻聴（A）と認知（B）とは直接の関係がないということです。たとえば，表4－1中段の例のように，幻聴の内容はネガティブであっても，「これは神が私の力と信仰を試そうとしているのだ」のように善意的に認知されることもあります。逆に，表4－1下段の例のように，幻聴の内容が忠告的であっても，解釈は「悪魔が私を陥れようと監視している」のように悪意的なこともあるのです。チャドウィックとバーチウッドの研究によると，31％の患者では，声の内容と認知が一致していませんでした。

一方，認知（B）と感情（C）と行動（D）の間には強い結びつきがあるこ

表4－1　幻聴に対する認知と反応

A：幻聴	B：認知	C：感情	D：行動
ネガティブ 「彼を殴れ」	悪意 神が私を陥れようとしている	ネガティブ 不安	抵抗行動 部屋を出ない
ネガティブ 「彼を殴れ」	善意 神が私の信仰を試そうとされている	ポジティブ 喜び	協調行動 声を聞き流す
ポジティブ 「用心しろ」	悪意 悪魔が私を監視し陥れようとしている	ネガティブ 恐怖	抵抗行動 店の中に入らない

表4－2　幻聴に対する認知・感情・行動（丹野，2001より引用）

A	B	C	D
幻聴の内容	幻聴に対する認知	幻聴による感情	幻聴に対する行動
ネガティブ	悪意的	ネガティブ感情	抵抗行動
ポジティブ	善意的	ポジティブ感情	協調行動

とがわかりました。つまり，認知が悪意的であると，ネガティブ感情がおこり，抵抗行動がおこります。一方，認知が善意的であると，ポジティブ感情がおこり，協調行動がおこります。

　以上のような結果からすると，幻聴の内容はどうであれ，幻聴に対する認知のしかたを変えれば，ネガティブな感情や行動は減らすことができるということになるでしょう。これがチャドウィックとバーチウッドの認知療法の基本的な考え方です。

　こうした詳細な臨床観察にもとづいて，4名の患者さんに認知療法を実施しました。継続して医学的治療は行いつつ，声の万能感・声の主・目的を体系的に議論，検討することによって，信念の確信度は大きくかつ安定的に減少しました。また，こうした改善点は，苦痛の減少・適応的行動の増加・声の活動性の低下とも関連していました。

　この研究によって，認知療法が幻聴の信念変容に有効であり，その効果も持続することが示唆されたわけですが，バーチウッドたちの研究の優れた点は，現象把握のためのアセスメント法を開発・洗練させる努力を怠らないことにもあります。

　彼らは，1994年の研究で行われた幻声についての半構造化面接をもとに，幻

声の万能感についての信念を査定する自己報告式尺度の The Beliefs About Voices Questionnaire（BAVQ）を開発しています（Chadwick & Birchwood, 1995）。BAVQ は30項目からなり，そのうち21項目は幻声に関する信念についての質問で構成されています。たとえば，「声は私がしたことについて私を罰している」，「声はとても強い影響力を持っている」などです。また，残りの9項目は幻声に対する反応をたずねています。たとえば，「私は声を止めようとする」，「私は一人にしておいてくれと声に頼む」などです。なお，BAVQ に改訂を加え，万能感についてより詳しく調べるようにした BAVQ-R も発表されています（Chadwick, Lees & Birchwood, 2000）。

さて，幻聴が臨床的に問題となるのは，それに患者さんが巻き込まれてしまい，現実的な生活が送れなくなってしまう場合ですが，どのような条件下においてとくに問題が生じるのかという点について詳しく検討した研究はありませんでした。そこでバーチウッドたちは命令幻声への恭順に影響を与える因子について調べました（Beck-Sander, Birchwood & Chadwick, 1997）。

最もよく知られている因子は命令の内容でしょう。彼らの調査によって，恭順に関して独立した3つの命令内容のカテゴリー，つまり「無害な命令」・「厳格な命令」・「自己を傷つける命令」が見出され，幻声が「良いものである」という信念は，無害な命令と厳格な命令への恭順と関連がありました。加えて，幻声に対して主観的にコントロールできていると信じている患者さんは，すべてのタイプの幻声に対して恭順しない傾向がありました。信念としてはさらに，宗教上の罪の影響に関する信念，命令への恭順に影響を与えるようないくつかの信念，命令者の権威・権力についての信念，行動を社会が受け入れてくれるかどうかの信念，価値ある目標に到達する効力感に関する信念，などの存在も示唆されました。

ここで重要なのは，幻声によって生じる行動や感情は，幻声の形式・内容・位置ではなく，患者さんが幻声に対して抱いている信念，とくに幻声の力や権威についての信念に関連しているということです。また，自分自身や対人関係・社会などに対して持つ考えや信念も大きな影響力を持つようです。バーチウッドたちは，幻声の信念は幻声体験を理解しようとする試みの現れであり，幻声の形式や内容だけを参考にしていても理解できないと考え，幻声とそれに関する信念・行動・感情などを包括的に面接調査する研究を行いました（Birchwood & Chadwick, 1997)。

　その結果，幻声の力と意味についての信念は，対処行動と感情に強く関係していることがわかりました。悪意のある声は恐怖・怒り・抵抗と関連し，善意の声は陽性感情や巻き込まれと強く関連していました。また，被験者の多く（53％）は強い抑うつ感情を持っていることもわかりました。やはり幻声の形式と位置は行動や感情と関連しませんでしたが，幻声の内容が幻声への信念を直接導いていると考えられたのも被験者全体の4分の1だけでした。バーチウッドたちは，この研究の結果は幻声の認知モデルと心理学的援助の効果を支持するものであるといっています。つまり，幻声の内容や形式を変えていく援助ではなく，幻声にまつわるさまざまな信念の修正をめざす援助を行わないと効果がないという方向性を支持する結果が出たわけです。

　これら主要な信念を作り出す根本原因は何かという問いに対して，バーチウッドたちは，幻声への信念は幻声体験に適応する過程の一部として発展し，個人の自己価値や対人関係についてのスキーマに関する核となる信念によって支持されるのではないかと考え，社会階層と社会的関係に着目し研究を行いました（Birchwood, Meaden, Trower, Gilbert & Plaistow, 2000）。彼らは59名の幻聴のある患者さんを対象として，幻声の力と患者さんの社会的階層との間の差異を調査し，同時により広い社会的関係についても調査しました。すると，幻声への従属は他の社会的関係における従属や周辺化と密接に関係していることがわかりました。幻声によってひきおこされる苦痛は，幻声自体の特徴ではなく，社会的かつ対人関係的な認知と関連しているという結果も見出されました。幻声と患者さんとの関係は，患者さんが自分の社会階層や集団への同一化，所属感などを，どう認知するかに起源を持っていることが示唆されたのでした。

　こうした研究結果は病理学的にもたいへん興味深いのですが，ソーシャル・サポートを含む統合的な心理療法が重要であることを実証しており，すべての臨床家が深く心に留め置くべきものだと思います。

3. 早期介入・再発防止

　英国では，分裂病に対する早期介入がNHS（国民健康サービス）の正式の

活動として取り入れられることになり，50カ所に早期介入施設が作られるということです。こうした介入の方法論を確立したのが，バーチウッド率いるバーミンガム早期介入サービス（The Birmingham Early Intervention Service）です。そこでの活動がいかに広く認知されているかということは，国際学会で分裂病の早期介入の話題になると，必ずといってよいほどバーチウッドの名前が出ることからもわかります。

バーチウッドたちは，分裂病の発病を予測し，それにもとづいて初回のエピソードがあったとき，すぐに介入できる体制を整えようとしています。そうした予測を高めたり，初回のエピソードから精神科への受診を早めたりするためにいろいろな工夫をしています（Birchwood, Fowler & Jackson, 2000）。

バーチウッドたちは早期介入の概念を次のように説明しています（Birchwood & Macmillan, 1993）。これまでの分裂病の治療では，2つのパラダイムが主要な理論的背景として考えられてきました。1つは，分裂病はエピソード的に再発を繰り返す障害と考えるもので，その治療のめざすところは，急性期（危機）のケアと予防法の確立です。2つめは，場合によっては避難所的な役割を持つ施設の枠で行われるリハビリテーションをさします。バーチウッドたちは3つめのパラダイムとして「早期介入」を提案しています。これは医学的治療と心理学的介入の協同作業を含んでおり，また，その対象は若くて脆弱性を持つ人々であり，社会学的・心理学的・精神医学的悪化を防ぐ目的を持っています。早期介入には表4－3に示すような鍵概念があります。

とくに初回エピソードについては実証的研究から重要な知見が得られています。精神病の初回エピソード後の何年かは，心理社会的かつ生物学的介入のために重要な期間であり，疾患からの回復と長期の結果に影響を及ぼす期間でもあるということです（Jackson & Birchwood, 1996）。この期間をバーチウッドたちは「臨界期（critical period）」と呼んでいます（Birchwood, Todd & Jackson, 1998）。

彼らは，初回エピソードからの前方向的研究であって，予後の予測因子と患者さん自身が行う精神病の査定手法を用いている研究を集めて分析した結果，発病後最初の2～3年は，患者さんは激しく攻撃的になり，この時期に，精神病あるいは精神科サービスに対する心理学的反応や家族を含む重要な心理社会的影響が出現することがわかりました。これまではあまり重要視されてこなか

表4-3　早期介入の鍵概念

1. 病気の早期に強力な介入を行うこと
2. 再発を早期に認識し処置すること
3. 精神病に対する心理学的アプローチを推進すること

った精神病の初回エピソードが，実はその後の経過にとってたいへん重要な期間であるということを示した点で，病理研究にも臨床研究にも大きな貢献をしたのでした。最近では，この臨界期は初回エピソード後5年程度ではないかと考えられています（Birchwood, 2000）。

　さて，1970年代にすでにWHOは，分裂病にとって，再発がその後のさらなる再発・症状の残存・社会的能力の障害をまねくために，再発の防止や回復が予後にとって重要であることを指摘しています。また，1980年代の長期フォローアップにもとづいた研究結果から，未治療期間が短いほど再発率が下がることもわかってきました。

　ここで重要になるのは「前駆期（prodrome phase）」の概念です。精神病の症状は突然現れるわけではありません。ヤングとジャクソンは，「『前駆』とはその人の病前の機能から，本格的な精神病の特徴が顕在化するまでの，精神状態の特徴の変化を呈する期間をさす」と定義しています（ヤング＆ジャクソン，2001）。前駆期とは精神病エピソードそのものではありませんが，病前期とは質的に明らかに異なる状態であり，精神病エピソードに連続的に移行しうる期間といえます。

　分裂病の前駆期に注目したバーチウッドらの研究は，先にあげた『精神分裂病に対する心理学的マネージメントの普及』（Birchwood & Tarrier, 1992）のなかにまとめられています。表4-4にあげたものが，バーチウッドたちが提案している分裂病の「早期警告サイン」です。この本のなかには，こうした早期警告サインのアセスメント方法（面接法や質問紙法）やケースフォーミュレーションの方法が具体的に解説されています。

　早期警告サインは，個々のクライエントによって異なりますが，ひとりのクライエントにとっては一貫したものがあり，「署名」のようなものだとしています。したがって，クライエントやその家族がこうしたサインをモニターしていれば再発を予測でき，早く対処することができます。これが「再発モニタリ

表4－4　早期警告サイン
1．不安・緊張・不眠
2．抑うつ・引きこもり・食欲不振
3．脱抑制・攻撃・不穏
4．初期精神病症状（幻聴様症状や妄想的観念）

ングシステム」です。方法としては，①関係づくりと心理的教育，②再発の早期警告サインを特定するアセスメント（ESS：Birchwood, et al., 1989），③早期警告サインのモニタリング，④薬物療法の選択，⑤危機カウンセリングなどの段階からなります。ここでは薬物療法を積極的に用いており，心理学的治療と医学的治療のコラボレーションが強調されています。

　また，バーチウッドには予後に関する総説論文（Birchwood, 2000）があり，そのなかで彼は，分裂病の脆弱性の高い群には，早期再発を防ぐために少なくとも3年間は介入が続けられなければならない，と結論づけています。

　最後に，5年にわたる長期臨床研究も行われていますので紹介したいと思います。「認知療法と精神病急性期からの回復」と名づけられた一連の研究では，以下のような厳密な科学的研究法が採られています。

　第一研究（Drury, et al., 1996a）では，感情障害ではない精神病患者さん40名を階層化された無作為割付の対象としています。実験群には個人認知療法と集団認知療法を行い，対照群には実験群と同じ時間だけ，構造化された活動と支持的精神療法を行っています。精神科医は，割付群を知らされずに薬物療法を行いました。患者さんは入院期間中と退院後9カ月間，自己報告と査定によって毎週モニターされました。その結果，両群ともに陽性症状は改善しましたが，認知療法群で改善度が大きいことがわかりました。退院9カ月目の中等度あるいは重度の残遺症状は，対照群で56％の患者さんにみられたのに対し，認知療法群では5％にしかみられなかったということです。

　第二研究（Drury, et al., 1996b）は，第一研究で得られた効果が，これまで注目されてこなかった病的思考・病識・抑うつ感にも影響を与えるかどうかを調べるものです。病的思考・病識・抑うつ感の測定が6カ月間継続され，回復までの時間を統計的に分析した結果，認知療法群では回復までの時間が25〜50％短くなっていたということです。つまり，認知療法の効果は幻覚や妄想などの陽性症状だけでなく，病的思考・病識・抑うつ感にまで及ぶということが実

証されました。また，臨床的回復までにかかる時間の中央値は20週であったということです。

第三研究（Drury, Birchwood & Cochrane, 2000）では，上記の研究で対象となった患者さんたち40名のうち34名を5年間フォローアップした結果を示しています。その結果，フォローアップ時の再発率・陽性症状・病識における差はありませんでしたが，認知療法群は「病気をコントロールできる」という意識が有意に高くなっていました。フォローアップ期間中に再発を体験した患者さんを調査したところ，自己報告による残遺妄想と他者評価による幻覚・妄想は，認知療法群で明らかに減少していました。つまり，急性期における認知療法は，再発体験を最小限に押さえるという，重要な臨床的寄与が実証されました。

まだ明確になっていない点としてバーチウッドたちがあげている問題のひとつは，早期介入が予防に関して実質的な効果があるのか，あるいは発症を遅らせているだけなのか，という点です。これを調べるには，さらに広域で長期の研究が必要となるでしょう。また，早期介入は医学的治療と心理学的援助のコラボレーションですが，両者の要素のなかで何がどのように働いているのか，そのメカニズムが不明であるという点も，今後の研究が必要であるといっています（Birchwood & Spencer, 2001）。

4．分裂病の抑うつ

これまであまり多く語られてこなかった問題ですが，多くの分裂病の患者さんたちは，さまざまな場面で抑うつ気分を抱きやすく，実生活にもそれは暗い影を落とすことになります。精神医学の分野でも，「精神病後抑うつ（Post-psychotic Depression）」は，精神病理の面からも興味が持たれていますし，この抑うつが生じると自殺率が高いという実際的な問題からも注目されてきました。心理学的な観点から，バーチウッドたちはこうした抑うつが生じるメカニズムと介入方法について長年にわたり検討しています。

分裂病の患者さんが抱く抑うつに関する研究としては，たとえば，Birchwood, Mason, MacMillan & Healy（1993）があります。この研究では，慢性分裂病の抑うつが，病気や長期にわたる障害などの明らかにコントロールで

きないライフイベントに対する心理的反応ではないかという仮説を検討しています。多変量解析の結果，病気のコントロール可能性に関する認知スタイルによって，分裂病における抑うつ群／非抑うつ群を明確に分類できることがわかりました。

しかし，この研究は横断的研究であったため，抑うつの発生メカニズムに関する知見はあまり深まりませんでした。そこで，Rooske & Birchwood（1998）は，ある時点から追跡調査を行う前方向的研究を実施しました。単極性うつ病の発症に先行するライフイベントは，通常は喪失体験を含んでいます。最近の研究では，これらのイベントが屈辱体験であったり，裏切られ体験を含んだりする場合（将来の希望の欠如，アイデンティティ再確認の失敗）は，とくに抑うつをひきおこしやすいといわれています。前の研究で示されたようなコントロール感の喪失と，病気自体が原因となった「裏切られ体験」（再発の繰り返しなど）が，分裂病の抑うつと強く関連するのではないかという仮説を検証しています。

この研究では47名の患者さんを2年半追跡調査しています。その結果，自律性や社会的役割（とくに仕事）に関する喪失体験は，抑うつと相関があることがわかりました。また，精神科的治療のある側面，とくに強制入院によって影響を受けることがわかりました。こうしたイベントによって引き起こされた抑うつは，患者さんが自分の大切な個人的目標や社会的役割の喪失によって打ちのめされ，アイデンティティ確認に失敗していることを表しているかもしれません。

バーチウッドたちは精神病後抑うつについても認知的アプローチによる研究を行っています。まず彼らは精神病後抑うつの発生に関する調査を行いました（Birchwood, Iqbal, Chadwick & Trower, 2000）。ICD－10で分裂病と診断された105名の患者さんに対して，急性期エピソード発症後12カ月間にわたって5つの時点で調査を行い，抑うつ・陽性症状・陰性症状・抗精神病薬量と副作用を評価しました。その結果，対象となった患者さんの70％において急性期に抑うつがみられ，疾患そのものの改善に一致して改善していました。しかし，36％は症状の変化に一致せず精神病後抑うつが生じていました。この結果は精神病後抑うつが陽性症状や陰性症状の変化とは一致せず，独立して生じる可能性を示唆しています。

さらにこの研究の第 2 報（Iqbal, Birchwood, Chadwick & Trower, 2000）では，精神病後抑うつに認知的枠組みを与え，自己と精神病の評価，および精神病後抑うつの後の危機的状況とそれらの関係をチャート化することが図られました。まず，精神病後抑うつを合併した患者さんは，それが発症する以前に，病気による喪失感・屈辱感・巻き込まれ感が強いことと，将来の自己を「より低い状況」に陥ると考えやすい傾向がみられました。抑うつ状態になる場合は，病識が高まり，自尊心が低下し，自分の精神病に対する評価が悪くなっていました。病識が高まることは症状コントロールや服薬指導の点では良いことですが，かえって現実を直視することになり，不安定感が高まると思われます。

分裂病の抑うつは，自分の精神病に対する評価や，その評価と認知された自分の社会的アイデンティティ・地位・集団適合性との関係から生じると考えられます。精神病後抑うつを発症する患者さんは，逃げ場のない従属を受け入れざるを得ないと感じていることがこれらの研究から示唆されたわけですが，今後はこうした抑うつを予防したり改善させる心理療法を開発していく必要があります。

5．家族介入・家族教育

疾患は患者さん本人だけでなく，その家族をも苦しめるといえます。それは身体的な疾患でも同じなのですが，精神疾患の場合は，疾患への無理解や家族内の力動が絡んで，家族全体の苦悩を深めてしまうことになりかねません。裏を返せば，うまく家族がはたらいてくれると，余人には代え難い強力な「サポーター」になれるということにもなります。現代の精神科治療においては，家族介入や援助が薬物療法と同様に必要であることはすでに常識となっています。感情表出 Expressed Emotion（EE）を中心とした家族研究の歴史と現在の到達点については，三野（2002）の論文に詳しい説明がありますので，ぜひ参考にしてください。

バーチウッドたちは，家族教育を行って実際に効果があるのかという点について，実証的に検討しました（Smith & Birchwood, 1987）。そこでは患者さんの家族に対する短期間の教育的介入が行われ，家族の「幸福感」と患者さ

表4－5　家族のニーズ

1．分裂病に関する知識の増加
2．主観的負担感の軽減
3．個人的ストレスの軽減
4．患者さんの行動障害の改善
5．対処方法の認知の改善

自身の回復の2点から評価されました。結果として心理教育は著明に知識を増やし，家族が訴えるストレス症状や患者さんの恐怖感を減少させていました。また，介入の結果，家族は自分の役割について楽観的になる傾向がみられました。半年後のフォローアップでは，知識量は変わらなかったのですが，家族が認知する家族内の負担感は明らかに減少していました。

1990年代に入ってから，バーチウッドたちは家族が抱えている問題をより広く詳細にとらえ，援助をよりきめ細やかにするように努力しています。Birchwood & Cochrane（1990）は，分裂病の患者さんの家族へのインタビューから導かれた対処行動の分類を報告しています。家族は患者さんの行動の全領域にわたって幅広い対処方法を採用していました。そうした対処方法と，(a)家族が認知する操作・負担感・ストレス，(b)患者さんの社会的機能・行動障害の重症度・病気の進行，との間に関係が認められました。

バーチウッドたちは，対処方法を変化させるように家族にアドバイスを与えるには，患者さんの行動の起源を理解することが必要であると考えており，家族介入プログラムをより普遍化するための社会適応性に関する尺度も開発しています（Birchwood, Smith, Cochrane, Wetton & Copestake, 1990）。また，集団療法的な家族教育のほうが，効果が比較的大きいとする知見も発表しています（Birchwood, Smith & Cochrane, 1992）。

高EE／低EE分類に関連して，両者の対処方法の違いを特定する必要性を感じていたバーチウッドたちは，タイプ別のニーズとそれに対応するためのサービスのあり方について細かく検討しました（Smith, et al., 1993）。感情表出（EE）の高低で患者さんの家族を分類し，社会的機能・ストレス・家族の負担感などを含む尺度を用いて，その特徴とニーズを比較したところ，高EEの家族では，行動障害・主観的負担感が高く，自分たちの対処が無効だと認知する割合も高いことがわかりました。高EE家族を持つ患者さんは，社会的機能が

より障害されており，とくに独立性と対人機能が障害されていました。分裂病の知識に関してはどちらのグループにも違いはありませんでしたが，高EEのほうが病院における処置についての知識は多いことがわかりました。ニーズに対するアセスメント・データの分析から，表4－5に示した5つの領域のうち，少なくとも1つ以上において，低EE家族の3分の1，高EE家族の3分の2が高いニーズを感じていました。

　最後に，3節で取り上げた早期介入・再発防止と絡んで，初回エピソードと家族の感情表出についての研究を紹介したいと思います（Patterson, Birchwood & Cochrane, 2000）。この研究では，初回エピソードの患者さんの家族ではEEが変化しやすいということと，家族による喪失感の評価が「過剰な感情的巻き込まれ」を生み出す可能性から，家族介入プログラムの重要性が示唆されました。

6. その他

　これまで挙げた研究以外にも，バーチウッドたちはさまざまな研究を行っています。たとえば，分裂病と愛着体験の関係（Drayton, Birchwood & Trower, 1998），分裂病における病識の問題（Birchwood, et al., 1994），分裂病と心の理論（Drury, Robinson & Birchwood, 1998），精神病における薬物・アルコール問題（Graham, et al., 2001）などです。どれも今後の発展が期待される，とても興味深い領域です。

●参考文献

Beck-Sander, A., Birchwood, M & Chadwick, P. 1997 Acting on command hallucinations: a cognitive approach. *British Journal of Clinical Psychology,* 36, 139-148.

Birchwood, M. 2000 Early intervention and sustaining the management of vulnerability. *Australia and New Zealand Journal of Psychiatry* (Suppl.), 34, 181-184.

Birchwood, M. & Chadwick, P. 1997 The omnipotence of voices: testing the validity of a cognitive model. *Psychological Medicine,* 27, 1345-1353.

Birchwood, M. & Cochrane, R. 1990 Families coping with schizophrenia: coping styles, their origins and correlates. *Psychological Medicine,* 20, 857-865.

Birchwood, M., Fowler, D. & Jackson, C. (Eds.) 2000 *Early intervention in psychosis: a guide to concepts, evidence and interventions.* Chichester: Wiley.

Birchwood, M., Hallett, S. & Preston, M. 1988 *Schizophrenia: an integrated approach to research and treatment.* London: Longman.

Birchwood, M., Iqbal, Z., Chadwick, P. & Trower, P. 2000 Cognitive approach to depression and suicidal thinking in psychosis. 1. Ontogeny of post-psychotic depression. *British Journal of Psychiatry,* 177, 516-521.

Birchwood, M. & Jackson, C. 2001 *Schizophrenia.* UK, Psychology Press Ltd.

Birchwood, M. & Macmillan, F. 1993 Early intervention in schizophrenia. *Australia and New Zealand Journal of Psychiatry,* 27, 374-378.

Birchwood, M., Mason, R., MacMillan, F. & Healy, J. 1993 Depression, demoralization and control over psychotic illness: a comparison of depressed and non-depressed patients with a chronic psychosis. *Psychological Medicine,* 23, 387-395.

Birchwood, M., Meaden, A., Trower, P., Gilbert, P. & Plaistow, J. 2000 The power and omnipotence of voices: subordination and entrapment by voices and significant others. *Psychological Medicine,* 30, 337-344.

Birchwood, M. & Preston, M. 1991 Schizophrenia. In W. Dryden & R. Rentoul (Eds.) *Adult clinical problems: a cognitive-behavioural approach.* Routledge. 丹野義彦（監訳） 1996 認知臨床心理学入門 東京大学出版会

Birchwood, M., Smith, J. & Cochrane, R. 1992 Specific and non-specific effects of educational intervention for families living with schizophrenia. A comparison of three methods. *British Journal of Psychiatry,* 160, 806-814.

Birchwood, M., Smith, J., Cochrane, R., Wetton, S. & Copestake, S. 1990 The social functioning scale: the development and validation of a new scale of social adjustment for use in family intervention programmes with schizophrenic patients. *British Journal of Psychiatry,* 157, 853-859.

Birchwood, M., Smith, J., Drury, V., Healy, J., Macmillan, F. & Slade, M. 1994 A self-report insight scale for psychosis: reliability, validity and sensitivity to change. *Acta Psychiatrica Scandinavica,* 89, 62-67.

Birchwood, M., Smith, J., Macmillan, F., Hogg, B., Prasad, R., Harvey, C. & Bering, S. 1989 Predicting relapse in schizophrenia: the development and implementation of an early signs monitoring system using patients and families as observers, a preliminary investigation. *Psychological Medicine,* 19, 649-656.

Birchwood, M. & Spencer, E. 2001 Early intervention in psychotic relapse.

Clinical Psychological Review, 21, 1211-1226.
Birchwood, M. & Tarrier, N. (Eds.) 1992 *Innovations in the psychological management of schizophrenia.* Chichester: Wiley.
Birchwood, M., Todd, P. & Jackson, C. 1998 Early intervention in psychosis. The critical period hypothesis. *British Journal of Psychiatry* (Suppl.), 172, 53-59.
Chadwick, P. & Birchwood, M. 1994 The omnipotence of voices: a cognitive approach to auditory hallucinations. *British Journal of Psychiatry,* 164, 190-201.
Chadwick, P. & Birchwood, M. 1995 The omnipotence of voices. II: The Beliefs About Voices Questionnaire (BAVQ). *British Journal of Psychiatry,* 166, 773-776.
Chandwick, P., Lees, S. & Birchwood, M. 2000 The revised Beliefs About Voices Questionnaire (BAVQ-R). *British Journal of Psychiatry,* 177, 229-232.
Drayton, M., Birchwood, M. & Trower, P. 1998 Early attachment experience and recovery from psychosis. *British Journal of Clinical Psychology,* 37, 269-284.
Drury, V., Birchwood, M. & Cochrane, R. 2000 Cognitive therapy and recovery from acute psychosis: a controlled trial. 3. Five-year follow-up. *British Journal of Psychiatry,* 177, 8-14.
Drury, V., Birchwood, M., Cochrane, R. & Macmillan, F. 1996a Cognitive therapy and recovery from acute psychosis: a controlled trial. I. Impact on psychotic symptoms. *British Journal of Psychiatry,* 169, 593-601.
Drury, V., Birchwood, M., Cochrane, R. & Macmillan, F. 1996b Cognitive therapy and recovery from acute psychosis: a controlled trial. II. Impact on recovery time. *British Journal of Psychiatry,* 169, 602-607.
Drury, V.M., Robinson, E.J. & Birchwood, M. 1998 'Theory of mind' skills during an acute episode of psychosis and following recovery. *Psychological Medicine,* 28, 1101-1112.
Graham, H. L., Maslin, J., Copello, A., Birchwood, M., Mueser, K., McGovern, D. & Georgiou, G. 2001 Drug and alcohol problems amongst individuals with severe mental health problems in an inner city area of the UK. *Social Psychiatry and Psychiatric Epidemiology,* 36, 448-455.
Iqbal, Z., Birchwood, M., Chadwick, P. & Trower, P. 2000 Cognitive approach to depression and suicidal thinking in psychosis. 2. Testing the validity of a social ranking model. *British Journal of Psychiatry,* 177, 522-528.
石垣琢麿　2001　幻聴と妄想の認知臨床心理学　東京大学出版会
Jackson, C. & Birchwood, M. 1996 Early intervention in psychosis: opportunities

for secondary prevention. *British Journal of Clinical Psychology,* 35, 487-502.

三野善央　2002　精神分裂病の家族研究　下山晴彦・丹野義彦（編）講座臨床心理学4　東京大学出版会

Patterson, P., Birchwood, M. & Cochrane, R. 2000 Preventing the entrenchment of high expressed emotion in first episode psychosis: early developmental attachment pathways. *Australia and New Zealand Journal of Psychiatry,* 34 Suppl., S191-197.

Rooske, O. & Birchwood, M. 1998 Loss, humiliation and entrapment as appraisals of schizophrenic illness: a prospective study of depressed and non-depressed patients. *British Journal of Clinical Psychology,* 37, 259-268.

Smith, J. & Birchwood, M. 1987 Specific and non-specific effects of educational intervention with families living with a schizophrenic relative. *British Journal of Psychiatry,* 150, 645-652.

Smith, J., Birchwood, M., Cochrane, R. & George, S. 1993 The needs of high and low expressed emotion families: a normative approach. *Social Psychiatry and Psychiatric Epidemiology,* 28, 11-16.

丹野義彦（編）　2000　認知行動アプローチ――臨床心理学のニューウェーブ　現代のエスプリ392　至文堂

丹野義彦　2001　エビデンス臨床心理学　日本評論社

丹野義彦　2002　異常心理学の成立に向けて　下山晴彦・丹野義彦（編）講座臨床心理学3　東京大学出版会

ヤングA.・ジャクソンH.　2001　臨床と研究からみた精神障害の発症　マクゴーリ・ジャクソン（編）　鹿島晴雄（監修）　精神疾患の早期発見・早期治療　金剛出版

ユスポフL.・ハドックG.・セルウッドW.・タリアN.(原著)　熊谷直樹（訳）1998　幻覚と妄想に対する認知行動療法――実践の現状と将来の動向　サルコフスキス（編）　坂野雄二・岩本隆茂（監訳）　認知行動療法――臨床と研究の発展　金子書房

5 章
精神分裂病の認知行動療法
──バーチウッドのワークショップ

マックス・バーチウッド
訳／石垣琢麿，望月寛子，森本幸子，山崎修道

　精神分裂病に対する心理学的な介入は，最近，大きく進歩しています。本日のワークショップでは，精神分裂病とくに幻聴に対する認知行動療法について，事例をまじえながらお話しします。

1．精神分裂病の心理学的治療はなぜ必要か

　精神分裂病になぜ心理学的な治療が必要なのでしょうか？　まず，この問いからはじめましょう。

（1）薬物療法の限界

　精神分裂病の治療の主流は薬物療法です。これは世界中のどの国でも同じです。しかし，多くの治療者は，薬物療法だけでは限界があると考えています。抗精神病薬は万能ではありません。効かない症状もたくさんあります。
　また，薬物療法だけでは，再発率が高いということもあります。1994年に，アメリカのホガティたちは，精神分裂病の予後についてのメタ分析を発表しました。抗精神病薬が使われるようになってから，精神分裂病の予後がどう変わったかを調べたものです。それによると，抗精神病薬が使われるようになっても，結局は，治療の予後に大きな変化はみられませんでした。
　また，イギリスのハリソンたちは，初発精神分裂病のフォローアップの結果を発表しました。そして，スイスのマンフレッド・ブロイラーが行った1940年

代の治療結果と比べてみました。メタ分析の結果，最近の結果と，1940年代の結果には差がありませんでした。つまり，抗精神薬が出てくる前と，出てきた後とで，治療の予後には差がありませんでした。

このような研究からも，薬物療法だけでは限界があることがわかります。したがって，薬物療法を補うという意味からも，心理学的治療が大切になってきます。

（2） 心理社会学的なアプローチ

最近では，精神分裂病の心理社会学的な治療も必要だと言われるようになってきました。この背景には，精神分裂病に対するとらえ方そのものが大きく変化したということがあります。おおざっぱに言うと，これまでは，精神分裂病の生物学的な側面だけをみてきました。これに対して，最近では，より広く，生物学的・心理学的・社会学的な視点を総合したモデルで考えるようになってきました。

また，治療を受ける人のクオリティ・オブ・ライフ（生活の質）に対する認識も高まってきました。さらに，精神分裂病のクライエント本人が，病気についての理解を深めることが必要だと考えられるようになってきています。

（3） 3つの理論

こうした新しい心理社会学的な理論として，次の3つをあげることができます。①精神分裂病の症状の認知モデル，②ストレス脆弱性モデル，③精神分裂病への対処モデルです。これらの3つの理論は，わたしたちの治療の基礎となっています。簡単に説明しましょう。

第1の「精神分裂病の症状の認知モデル」というのは，1990年代に大きく育ってきたものであり，本日のお話の中心をなしています。これについては，あとで詳しくお話しします。

第2は，「ストレス脆弱性モデル」です。これによると，精神分裂病の発病や再発は，生物学的な素因（脆弱性）と心理社会学的なストレスの相互作用によって決まります。とくに，ストレスの要因は大きな働きをします。ヨーロッパの研究によると，都市における貧しい地域において，精神分裂病の発病率が高いようです。社会的に隅に追いやられている人々の発病率が高いということ

です。つまり，都市化のなかで，対人的な機能が失われていることを示すのかもしれません。また，精神分裂病の家族の感情表出の研究によると，心理社会学的なストレスが，精神分裂病の再発の引き金になります。

　第3は，「精神分裂病への対処モデル」です。これは，精神分裂病の症状は，精神分裂病に対する一種の適応過程としてとらえられるという考え方です。精神分裂病という病気になると，世界全体が大きく変わってしまいます。世界が変わってしまったことに対して，クライエントは何らかの意味を見ようとします。そうした意味こそが「妄想」なのだと考える研究者もいます。そうした意味づけそのものは正常な心理過程です。このような考え方を提唱したのはアメリカのアドルフ・マイヤーという精神病理学者です。妄想だけでなく，幻聴についても同じです。幻聴そのものは異常ですが，幻聴に対する反応は，正常な過程であるとも考えられます。精神病の幻聴を，みなさんが聞いたとしたら，どうでしょうか。おそらく，多くの方は，精神分裂病のクライエントと同じような意味づけをしてしまうのではないかと思います。

　これまでは，精神分裂病のクライエントといえば，病気の犠牲者であり，病気に立ち向かうのではなく，治療を受ける身である，といったステレオタイプがありました。しかし，実際には，クライエントは，病気に対して能動的に対処し，自分で改善をはかろうとしているのです。これを「症状対処行動」と呼びます。これについては，1981年にファルーンらがとりあげて以来，いくつかの研究が行われてきました。その結果，症状のコントロールにおいて，クライエント自身が積極的な役割を演じていることがわかってきました。こうした症状対処行動を明らかにすることは，新たな治療法を開発するうえでも，多くの手がかりを与えてくれます。

2．妄想の精神病理学

　私たちの認知行動療法は，妄想と幻聴という症状をターゲットとします。そこで，治療の話をする前に，妄想と幻聴の性質やメカニズムについてお話ししておく必要があります。

（1） 妄想には意味がないのか

　DSM-Ⅳによると,「妄想」の定義は次のようになっています。①間違った信念である。②現実に対する誤った推論にもとづいている。③誤った理由づけが行われている。④その矛盾について明らかな証拠があるにもかかわらず,強固に維持される。

　妄想を扱うときに問題となるのは,妄想には意味があるのか,それとも意味がないのかという点です。

　これまで,妄想は,意味のないものとして扱われてきました。

　1950年代に,カール・ヤスパースというドイツの精神病理学者は,次のように言いました。「精神分裂病の症状は了解不能である。『説明』はできるが,『了解』はできない」

　精神分裂病は,脳の異常な活動によっておこるものと考えられてきました。ですから,精神分裂病の症状には意味はないと考えられています。たとえば,側頭葉てんかんのような脳の障害に喩えて,精神分裂病というのもそれと似たようなものであるというように説明されることがあります。側頭葉てんかんの場合にも,幻覚のような精神分裂病と似たような症状を示すことがあるためです。

　ベリオスもそのように考えています。彼は妄想を次のように定義しています。「空虚な言動であり,その内容は自己にも世界にも関連しておらず,何かの象徴的な表現でもない」。ここでは,妄想はまったく意味のないものと考えられています。

（2） 妄想には意味がある

　しかし,本当に,妄想には意味がないのでしょうか。

　ここで,ふつうの信念と妄想を比べてみましょう。両者の相違点ではなく,類似点に目を向けてみます。

　ふつうの「信念」の例として,私はよくサッカーの話をします。私は「2002年のワールドカップはイングランドが優勝する」という強い信念を持っています。それに反する証拠があっても,私はイングランドが優勝すると本当に信じています。この信念を正しいと証明してくれるような証拠をいつも探していま

す。たとえば，2週間前にミュンヘンで，イングランドがドイツを5対1で破ったというニュースなどを聞くと，まさに反論できない証拠になると思ってしまいます。しかも，イングランドが負けた試合の結果を聞いても，あまり気にしません。信念を確証するニュースだけを聞いて喜んでいるからです。これを「確証バイアス」と呼びます。

　しかし，他の人に言わせると，私の信念は「妄想」であるのかもしれません。明らかにそれに反する証拠もあります。妄想にも，確証バイアスが強くみられます。妄想の場合は，この確証バイアスが強すぎるわけです。

　また，私の「信念」は，私が社会生活を営むうえで，一定の機能を果たしています。イングランドが優勝すると信じることで，私は，自分や自分の地域に対して，ポジティブな見方を保つことができます。

　妄想についても，同じことが言えます。妄想にはポジティブな面もあるのです。「被害妄想」を考えてみましょう。被害妄想とは，まわりの誰かが自分を陥れようとしていると考えることです。これは，一見すると，ポジティブな信念であるとは思えません。ところが，被害妄想を持つクライエントは，「自分は重要な人物である」と考え，だからこそ「誰かが私をつけ回すのだ」と考えるわけです。こう考えることによって，「私は他者から注目されるほど重要な人物なのだ」と考えることができます。被害妄想によって，自分に対するポジティブな見方を保つことができます。被害妄想は誇大妄想に逆転しやすいのです。被害妄想は，誰かから自分が何かをされるという受動性がありますが，その裏には，誰かに注目されたいという能動性もあるといえます。このように，妄想には，心理的健康を守るという適応的な面もあるのです。

　先ほど述べたアドルフ・マイヤーの考え方からすると，精神分裂病という異常な生物学的な病気に対する正常な対処こそが妄想なのだということもできます。

　このように，ふつうの信念と妄想には類似点があります。そして，信念には意味があるように，妄想にもそれなりの意味はあるのです。

　認知行動療法では，妄想にはそれなりの意味があると考えます。もちろん，妄想には意味がないという側面もあるのですが，認知行動療法ではその両方を考えていきます。

表5−1　ABC 図式からみた妄想

おもな妄想	A：きっかけとなる出来事	B：認知＝妄想的思考	C 感情	C 行動
被害妄想	家の外で車のクラクションが鳴った	「彼らは私を狙ってやって来た。私を殺すためにやって来た」	恐怖 怒り	家から逃げ出す
思考伝播	買い物をしていると、人々が話していた	「私の考えていることが，人々に伝わっているに違いない」	恐怖	店から逃げ出す
思考吹入	あるショッキングなことを思いついた	「その考えは私のものではない誰かが，機械を使ってその考えを私の頭に押し込んだ」	恐怖	混乱・パニック
誇大妄想	女王が「私は私の子どもを愛している」と言ったのをテレビで見た	「女王は私のことを言っている。女王は私を愛している。私は女王の娘だ」		

（3）　妄想の ABC 図式

　認知行動療法では，感情と認知の関係を示すのに，ABC 図式というものを使います。妄想も，表5−1に示すように，ABC 図式でとらえることができます。A は，きっかけとなる出来事（activating event）です。B は，信念（belief）のことで，「解釈」や「認知」のことをあらわします。C は，信念の結果（consequences）として生じる感情や行動のことを示しています。

　たとえば，表5−1に示すように，「被害妄想」は次のようにしておこります。たとえば，「家の外で車のクラクションが鳴った」ときに，「彼らは私を狙ってやってきた。私を殺すためにやってきた」と，妄想的に認知されることがあります。これによって，「恐怖」や「怒り」の感情がわいてきたり，「家から逃げ出す」といった行動がおこったりします。

　他の妄想も，このような ABC 図式であらわすことができます。こうした図式をもとにして，Bの認知の部分を変えていこうとするのが，認知行動療法です。

3．幻聴の精神病理学

（1） 幻聴に対する「解釈」が問題となる

　幻聴に対する反応についても，「意味がない」という側面と，「意味がある」という側面があります。アドルフ・マイヤーも述べているように，幻聴に対する反応は，意味があると考えられます。
　ここでは，「幻聴」そのものと，「幻聴に対する反応」とを分けてみたいと思います。
　オランダのオスらが行った「ネメシス・プロジェクト」という研究があります（Van Os, Hassen, Bijl, & Ravelli, 2000）。この分野ではたいへん重要な研究となっていますので，ぜひ読んでください。この研究によると，幻聴を持つ人の多くは，治療を受けていないのです。幻聴があっても，治療を受けなくてすむ人も多いのです。それでは，幻聴が問題となるのはなぜなのでしょうか？幻聴が問題となるのは，幻聴そのものというよりは，「幻聴に対する反応」なのです。幻聴が，恐れや罪悪感や怒りといったネガティブ感情をひきおこしたり，大声を出すとかアルコールに溺れたりといったネガティブな行動をとる場合が問題となるのです。逆に，幻聴があったとしても，こうしたネガティブな感情や行動がなければ，大きな問題をおこすこともなく，治療もしなくてすんでしまうようです。
　それでは，このようなネガティブな感情や行動をおこす原因は何でしょうか。これまでは，幻聴の存在そのものが，ネガティブな感情や行動をひきおこすと考えられてきました。しかし，それだけではないようです。私たちの研究によると，幻聴の存在が問題なのではなく，「幻聴に対する解釈」が問題なのです。人は，幻聴を聞くと，その幻聴に対してある「解釈」をしようとします。幻聴に対してネガティブな解釈をすると，ネガティブな感情や行動がおこります。逆に，幻聴に対してポジティブな解釈をすると，ポジティブな感情や行動がおこるのです。これについては，あとで詳しく述べます。認知行動療法はこうした解釈を変えていこうとします。

（2） 幻聴の「全能性」

　解釈についていうと，「幻聴の声は全能である」という解釈が大きな意味を持っています。1994年の研究で，私たちは，クライエントに，「幻聴の声は全能であると感じますか」と質問してみたのです。単純な質問だったのですが，クライエントの答えは驚くべきものでした。ほとんどのクライエントは，「幻聴の声は全能である」と答えました。つまり，「幻聴の声は，私の心の深いところまでを見通しており，私を支配してしまう力がある」と答えたのでした。これについて，いくつか事例をあげてみましょう。

[事例：性的ないたずら電話]
　あるクライエントは，「幻聴を聞くというのは，性的ないたずら電話を受けるようなものだ」と言っていました。卑猥なことを言ってくる悪質ないたずらです。イギリスでは数年前に流行(はや)ったことがありました。そのクライエントによると，いたずら電話と幻聴体験は似ているというのです。
クライエント「しかし，いたずら電話よりも，幻聴のほうが不快です。いたずら電話だと，相手は私のことを何も知りません。これに対して，幻聴の声は，私の名前も，着ているものも，すべてを知っています。恥ずかしい昔の経験まで知っていて，それについて言ってくるのです。幻聴の声は，私の人生のすべてを知っているのです」

[事例：予言者の声]
　若い女性のクライエントは，「イスラムのマスラという予言者の声が聞こえる」と信じていました。この女性はたいへん知的程度の高い人でした。
治療者「どうしてその予言者の声だと思うのですか？」
クライエント「私の知らない大切なことを，声が教えてくれるからです」
治療者「たとえばどんなことですか？」
クライエント「たとえば，ピザの作り方です。その予言者は，ピザの材料からレシピまで，作り方をよく知っていて，私に教えてくれるのです。私はピザの作り方は習ったことはありません。だからその声は予言者の声に違いないのです。私の言うことが，まわりの人にはおかしく聞こえるのはわかっています。

けれども，この幻聴の声は，私が知らないことを教えてくれるのです。このことを説明するためには，『この声は予言者の声である』と考えざるを得ないのです。予言者の声と考えないかぎり，つじつまが合わないのです」

しかし，考えてみると，彼女はヨーロッパに住んでいるわけですから，ピザを食べる機会はよくあるはずです。予言者でなくても，ピザの作り方ぐらいは見当がつくでしょう。

このように，クライエントは，幻聴の「声は全能である」と深く信じています。幻聴をもつクライエントに，なぜ「声が全能なのか」と聞いてみると，クライエントは「声は合理的で一貫性があるから」と答えます。そして，その証拠を見せてくれようとします。

幻聴が全能であると思うと，苦しくなります。私たちの研究によると，幻聴による苦痛は，幻聴の活発さ（幻聴のおこる回数や，幻聴の声の大きさ，幻聴の内容）とは関係がありません。幻聴による苦痛は，「幻聴を全能であると信じること」と関係がありました。そう思うことによって，「全能の声に私は服従している。私はそんな弱い存在なんだ」と感じ，それによって苦痛が生じるのです。

精神分裂病のクライエントに治療を行う際には，ぜひ「声は全能だと感じますか？」といった質問をしてみてください。するとおそらく，私と同じような経験をされて驚かれると思います。そして，クライエントの幻聴の大きな特徴のひとつを知ることになると思います。

4．幻聴の認知的アセスメント

それでは，幻聴の認知行動療法について具体的にお話ししたいと思います。

（1）幻聴の認知行動療法の手順

治療の手順を表5－2に示しました。表5－2に示すように，症状をきちんとアセスメントしたうえで，それに介入していきます。アセスメントでは，まず，声の「全能性」についてアセスメントし，ABC図式を用いて把握します。つまり，幻聴をどのように解釈しているか，幻聴に対してどのように対処して

表5-2　幻聴の認知行動療法の手順

1．アセスメント
　1）声の「全能性」のアセスメント
　2）ABC図式による把握
2．認知的介入
　1）信念を支持している証拠を調べる
　2）信念と矛盾する証拠を見つける
　3）言葉による挑戦
　　（直接的でなく，間接的な方法で矛盾に気づかせる）
　　　コロンボ的アプローチ
　4）信念が間違っていると仮定する
　5）幻聴をコントロールできるか実験してみる
　6）幻聴の予言が当たるか検証する
　7）対人関係スキーマの変容

いるかなどを調べます。これにもとづいて，認知的介入を行っていきます。

（2）　声の「全能性」のアセスメント

　幻聴の声の「全能性」については，4つの特徴があります。これを表5-3にまとめました。アセスメントもこれに従って行います。

　第1は，声のアイデンティティです。つまり，幻聴の「声の主」は誰なのかを聞きます。クライエントの多くは，神の声であるとか，アラーの声であると答えます。

　第2は，声の意味や目的です。つまり，声はどんな意味や目的を持っているかをたずねます。とくに，声の主が「悪意的」なのか，「善意的」なのか，ということが重要です。

　「悪意的」という場合，「罰」と「迫害」という2つの系列があります。前者は，罰パラノイア（punishment paranoia）と呼ばれ，後者は，迫害パラノイア（persecution paranoia）と呼ばれます。このふたつの系列には，いろいろな違いがあります。

　罰パラノイアのクライエントは，「私はかつて悪いことをしてしまったので，声が私を罰しているのです」と言います。罰というのは，自分が悪い人間であったり，自分が悪いことをしたから罰せられるのです。つまり，クライエントは，「罰を受けることには合理性がある」と認めているのです。こうした人た

表5-3 幻聴の全能性──幻聴についての核となる信念
1．声のアイデンティティ（誰の声か）
2．声の意味や目的（声はどんな意味や目的をもっているか）
　　　悪意的：罰（私を罰するため）
　　　　　　　迫害（私を迫害するため）
　　　善意的：私を守るため，何か良いことをしてくれる
　　　どちらでもない：影響力はあるが動機がわからない
3．声への服従性（声に服従せざるを得ないか）
　　　「声（幻聴）の命令を聞かなければ罰せられてしまう」
　　　「声（幻聴）の言うことを聞かなければ，病気になるだろう」
4．声のコントロール可能性（声をコントロールできるか）
　　　「幻聴を自ら始めることはできない」
　　　「幻聴を自らコントロールすることはできない」
　　　「幻聴はひとつの生命を持っている」

ちは，抑うつ感情を持つことが多く，気分が沈んでしまいます。

　これに対して，迫害パラノイアのクライエントは，「私は何も悪いことをしていないのに，声が私を迫害してくるのです」と言います。クライエントは，「迫害を受けることは不合理である」と感じているのです。こうした人たちは，怒りの感情を持つことが多く，気分が高揚して，声に対して反論したり，攻撃したりといった行動をとりがちです。

　第3は，声への服従性（コンプライアンス）です。つまり，幻聴の声に服従せざるを得ないかという点です。これをアセスメントすることは非常に大切です。幻聴というのは，たとえば，スーパーマーケットでアナウンスを聞くような，自分とは無関係の誰かが，自分とは無関係のことを話している声を聞くといった体験ではありません。幻聴とは，ちょうど身内と話すように，私をよく知っている誰かと私が，私についてのことを対話するような体験なのです。そうした幻聴の声に対して，何もしないで放っておくというわけにはいかないのです。クライエントの多くは，「幻聴の命令を聞かなければ罰せられてしまう」だとか，「もし幻聴の言うことを聞かなければ，病気になるだろう」などと考えて，幻聴に服従してしまうのです。

　第4は，声のコントロール可能性です。つまり，自分で幻聴の声をコントロールできるかどうかということです。大半のクライエントは，「幻聴をコントロールすることは不可能だ」と考えています。

（3） 幻聴の ABC 図式による把握

　幻聴を考えるためにも，先ほどの ABC 図式は便利です。表5－4は，ABC 図式で幻聴に対する反応をあらわしているものです。

　たとえば，『彼を殴れ』という幻聴が聞こえたとします。この幻聴の内容はネガティブなものです。こうした幻聴に対して，悪意的に認知する場合があります。つまり，「神が私を陥れようとしている」と悪意的に認知した場合は，ネガティブな感情（不安）がおこり，ネガティブな行動（部屋を出ないといった抵抗行動）がおこります。

　私は今回日本に来たのははじめてですが，昨日，渋谷の街を歩いてみましたら，大声で何かを叫び続けている人とすれ違いました。この人は，酔っぱらっていたのか，何か幻聴を聞いていたのかもしれません。おそらく，そうした声に対して，悪意的な認知をして，それに対して抵抗していたのではないかと思いました。

　これに対して，同じネガティブな内容の幻聴に対して，「神が私の信仰を試そうとしている」と善意的に認知した場合は，ポジティブな感情（喜び）がおこり，ポジティブな行動（声を聞き流すといった協調行動）がおこります。たとえば，ピザのレシピを予言者が教えてくれると言った先ほどのクライエントは，声に抵抗せず従っていました。

　一方，ポジティブな内容の幻聴に対しても，善意的に認知した場合は，ポジ

表5－4　ABC 図式からみた幻聴

A：幻　聴	B：認　知	C：感　情	C：行　動
ネガティブ 「彼を殴れ」という幻聴が聞こえた	悪意的 神が私を陥れようとしている	ネガティブ 不安	抵抗行動 部屋を出ない
ネガティブ 「彼を殴れ」という幻聴が聞こえた	善意的 神が私の信仰を試そうとしている	ポジティブ 喜び 満足感	協調行動 声を聞き流す
ポジティブ 「用心しよう」という幻聴が聞こえた	悪意的 悪魔が私を陥れようと監視している	ネガティブ 恐怖	抵抗行動 店の中に入らない

ティブな感情やポジティブな行動がおこりますが，悪意的に認知した場合は，ネガティブな感情や行動がおこるのです。

このように，幻聴の内容がネガティブかポジティブかということは，認知が悪意的か善意的かとは直接の結びつきがないのです。

これに対して，認知と行動には強い結びつきがあります。これをあらわしたものが図5－1です。悪意的な認知をした場合は，抵抗反応が飛び抜けて多くなっています。これに対し，善意的な認知をした場合は，協調反応が飛び抜けて多くなっています。

ABCの図式において，認知と行動は悪循環をなしています。つまり，図5－2のように，悪循環としてあらわすこともできます。この図から，「認知」という要素が重要であることがわかります。すべての要因が「認知」を通って

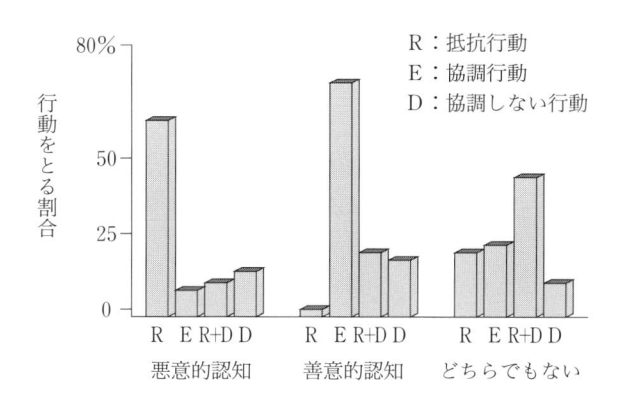

図5－1　幻聴への認知と行動

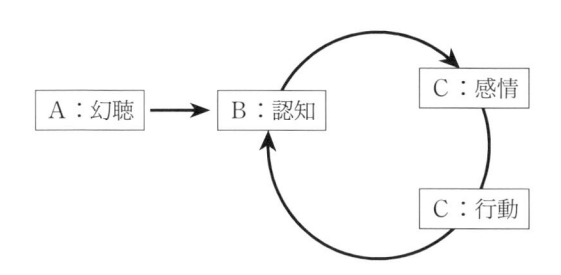

図5－2　幻聴のABCの悪循環

いるからです。

　このように考えてくると，幻聴に対してどのように介入していくべきかが見えてきます。ひとつは，幻聴そのものを止めることです。これには薬物療法などがありますが，前述のように，薬物療法が効かない幻聴も多いのです。そこで，もう一つは，幻聴はそのままにして，幻聴に対する認知を変えるという方法です。認知行動療法はこれにあたります。

（4）　幻聴のアセスメントの事例

　ここで，私が担当した事例を紹介します。

　クライエントは老年期の女性です。幻聴の声が「家族を殺して，自らも命を絶て」と命令してきます。こうした幻聴に悩まされて，私たちのもとに治療にやってきました。

　彼女は，幻聴の声が「神の声」だと信じています。彼女は「家族を殺して自分も死ね」という命令に従おうとして，ナイフをカバンに入れて持ち歩いています。しかし，完全に従うわけではなく，命令に抵抗しているのです。彼女は，声の主をなだめようとしているのです。ナイフを持ち歩いていたのは，ナイフを声の主に見せるためでした。つまり，「あなたの言葉に従うつもりよ。でも，今は時間がないの」と幻聴をなだめているのです。

　なぜ，命令に抵抗しながら，一方でその声をなだめているのでしょうか。その理由は，彼女が聞こえてくる声に対して，やや「矛盾」を感じているからなのです。そうした矛盾があるので，命令に素直に従おうという気にはなれないのです。

　彼女は，幻聴だけでなく，幻視も体験しています。娘のミシェルと，犬のラベンの幻視が見えるのです。ミシェルというのは，30年ほど前に中絶した子どもにつけた名前です。ラベンというのは，10年ほど前に飼っていたペットの名前です。黒いラブラドール犬で，老衰してしまったので，獣医に連れていって，安楽死をさせたということでした。幻聴と幻視は毎日のように出現し，彼女に命令に従うよう働きかけてきます。

　それでは，ビデオでクライエントと治療者（バーチウッド）の実際の対話を聞いていただきます。なお，キャシーとドワインというのは，家族の名前です。

治療者「声が聞こえてくるのですね。どんな声なのか教えてくれますか？」
クライエント「この声は神様の声で，私に命令しています。『キャシーとドワインを殺せ。命令に従えば，ミシェル（娘）とラベン（ペットの犬）に会えるのよ』と言ってきます」
治療者「どのくらいの頻度で聞こえるのですか？」
クライエント「しょっちゅうです。1日に4，5回は聞こえます。それから，この声は私にどこでナイフを手に入れたらいいかを教えてくれました。私は，そのナイフをつねにカバンに入れて持ち歩いています。キャシーを殺せと言われているのです」
治療者「キャシーを殺せという以外に，声はどんなことを言いますか？」
クライエント「『この声は神の声だ』とも言ってきます。『神の声なのだから，その命令を実行せよ。そうすれば，ラベンとミシェルに会える』と言います。私はその姿も見ました」
治療者「神の声だということですけれども，じゃあ，命令を実行しなかったらどうなるのですか？」
クライエント「そうなると，私は罰を受けるでしょう」
治療者「どのような罰ですか？」
クライエント「ラベンとミシェルに会えないという罰です」

［声の全能性について］
治療者「神の声だとおっしゃっていましたけれど，どうしてそう思われたのですか？」
クライエント「すべてを知っているのです。私が何をするか，しないかもご存じです。私の過去についても全部ご存じです。毎日やっていることも，考えていることも，何をしようとしているのかもすべてご存じです。そして，私が命令に従おうと努力していないことまでご存じなのです。私はその姿も見ています。神の姿をして，私にいろいろなことを言ってくるのです」
治療者「神の声だと信じている理由は，その声の主があなたの過去や考えていることすべてを知っているということですね。神様しか知らないと思うようなことを，声は知っている。だから，声は神だと思っているのですね」
クライエント「はい，そうです」

治療者「その声は自らのことを神であると言っているのですか？」
クライエント「そうです。私には，それを疑う理由がありません」
治療者「その声は耳から聞こえるのですか，それとも，頭に直接入ってくるような感覚ですか？」
クライエント「耳から聞こえてきます」
治療者「他に，声の主が神であると信じる理由はありますか？」
クライエント「ミシェルとラベンもそう言っています。ミシェルとラベンは，夜になると私のところにやってきて，一緒に散歩をしたりします。そして，散歩から帰ると，私たちは神様の命令について話します。ミシェルとラベンは，神様の命令に従うように私に言います」
治療者「つまり，日中に神の声が聞こえてきて，その内容が，夜におこることと密接につながるという点も，もう一つの理由になっているのですね」
クライエント「そうです」

　以上のように，彼女には，「家族を殺せ」という命令が聞こえています。そしてその命令は神の命令であるという信念を持っています。この信念を支持している証拠は2つあります。
　第1は，声の全能性です。「声はすべてを知っている。神もすべてを知っている。だから，この声は神の声に違いない」と彼女は考えているのです。
　第2は，娘と犬の幻視です。この幻視が神の命令を実行させようと彼女に語りかけてくるのです。この幻視があるので，信念はますます強まっているのです。
　このようなアセスメントをもとにして，認知的介入に移っていきます。

5．幻聴への認知的介入

次に幻聴に対してどのように介入していくかをお話しします。

（1） 認知行動療法の原則

　精神分裂病の認知行動療法で大切なことを表5－5にまとめました。
　第1に，精神分裂病の認知行動療法では，クライエントの症状（幻聴や妄想

表5-5　精神分裂病の認知行動療法で大切なこと
1．症状（幻聴・妄想・抑うつ）に注目する
2．妄想＝信念＝ミニ理論
3．クライエントの信念を真剣に受け止める
4．科学的なモデルにもとづいた治療
5．クライエントとの協力関係
6．治療に対する動機づけ

など）に注目して，それを治療のターゲットとします。精神分裂病そのものを治療のターゲットとはしません。また，幻聴や妄想によってもたらされる抑うつをターゲットとするのです。

第2に，妄想を，ふつうの信念とみなして対応します。前述のように，「妄想にはまったく意味がない」とみなすのではなく，「妄想は病気に対する正常な反応である」とみなして，妄想の意味を探っていきます。つまり，妄想は，世界を解釈する方法であり，「ミニ理論」であるとみなすのです。そして，妄想についての信念を変えていこうとします。

第3に，クライエントの信念について，その信念が正しいか正しくないかというような判断を下すことはしません。そうではなくて，クライエントが信じていることについて，真剣に受け止めるのです。クライエントが妄想をどのように表現するかについて，真剣に耳を傾けます。これが非常に大切です。認知行動療法はクライエントの抑うつを少しでも減らすことを目的としており，そのために信念を変えようとするわけです。

第4に，認知行動療法の根底には，科学的なモデルがあります。つまり，信念をいったん「仮説」と考えて，それに対する証拠や反証をテストしていくというプロセスです。冷静に原因を探り，偏見を持たずにアプローチしていきます。

第5に，クライエントとの協力関係を重視します。認知行動療法は，クライエントを教育するわけではありません。治療者から説教を受けているとクライエントが感じたりしては意味がありませんし，治療者から教育を受けていると感じたりしても意味がありません。

したがって，第6に，治療に対するクライエントの動機づけ（モチベーション）が大切になります。クライエントが治療者の前に座って，自分の信念を語

ることにメリットを感じなければなりません。これをもっと戦略的に行っていく必要があります。認知行動療法でよく用いられるのは「動機づけ面接法（motivational interview）」と呼ばれる方法です。これは治療に対する動機づけを高めるための面接法です。また，治療によって，クライエントの抑うつやストレスが減れば，クライエントは治療に協力的になっていきます。

（2） 幻聴への認知的介入の技法

　介入の基本は，クライエントの考えがどのくらい合理的なのかについて話しあうことです。クライエントがどのような信念を持ち，その結果，どのような抑うつが生じているのかを，クライエント自らの力で解き明かしていくようにします。

　具体的な技法は表5－2（104頁）にまとめた通りです。表5－2をもう一度ごらんください。

　第1に，信念を支持している証拠を調べます。その際には，先ほど述べた確証バイアスなどにも目を向けます。

　第2に，このような対話を通して，信念と矛盾する証拠を見つけていきます。クライエントといっしょに実験をしてみることもあります。その信念が正しいのかどうか，あるいは信念を支持する証拠が正しいのかどうか，実際に検証してみるわけです。

　第3に，矛盾が見つかっても，あからさまに指摘しません。柔軟な姿勢で，その矛盾がどうして生じているのかを探っていきます。つまり，直接的でなく，間接的な方法で矛盾に気づかせていきます。このことは，クライエントにプレッシャーを与えないために必要です。私はこれを「コロンボ的アプローチ」と呼んでいます。「刑事コロンボ」のことです。会場から笑いが出ましたので，日本でも有名だとわかりました。刑事コロンボは，よれよれの汚いトレンチコートを着て，相手に警戒心を抱かせません。治療者も，コロンボのような感じで，クライエントの矛盾をつつくような質問をしていくのです。クライエントの信念が仮に合理的であると仮定して，話しかけてゆきます。そうすると，クライエントはプレッシャーを感じることなく，自らの矛盾に気づいていくことができます。

　たとえば，「ある人を殺せ」という命令幻聴が聞こえるクライエントには，

こんなアプローチをします。

治療者「ひとつ私にはわからないことがあるんですが……。あなたは，命令に従わないと罰を受けるとおっしゃいましたね。でも，あなたは今まで何年もその命令に従わずに，抵抗してきましたね。どうして，あなたは罰せられていないのでしょうね」

この言葉で，治療者は，暗に，「あなたは，これまで幻聴の声に従わず，幻聴に勝ってきたのですね」ということを伝えようとしているのです。「矛盾があるじゃないか」と責めるのではなくて，幻聴に勝ってきたことを高く評価するのです。

第4に，「信念が間違っていると仮定する」という方法があります。これは認知行動療法ではよく使われる技法です。「その証拠が仮に間違っているとしたら，それをどう説明できるのか」をクライエントに考えてもらうのです。たとえば，「幻聴は未来を予言できる」と信じているクライエントに対して，次のように問いかけていくのです。

治療者「仮に，幻聴の予言が間違ったとしましょう。そうしたら，幻聴は本当に未来を予言すると言えるでしょうか」

第5に，「幻聴をコントロールできるか実験してみる」という方法があります。クライエントの多くは，「幻聴をコントロールすることはできない」と思いこんでいます。こういうクライエントには「幻聴の力を強めたり弱めたりする方法を練習してみましょう」と誘います。その方法を教えて，クライエントに自分で実験をしてもらいます。ある方法を用いれば，一時的であれ，幻聴を止めたり発生させたりすることができます。このような実験を行えば，クライエントは「幻聴はコントロールできるものだ」と考えるようになっていきます。

第6に，「幻聴の予言が当たるか検証する」という方法があります。クライエントに，単純で立証可能な予想を立ててもらって，それを検証します。たとえば，「幻聴は未来を予言できる」と信じているクライエントには，声にサッカーの試合結果を予言してもらいます。しかし，実際には，声は試合の結果を予言することはできません。私がクライエントだとしたら，「2002年のワールドカップでイングランドが優勝する」という予言が当たるかどうかを検証することになるでしょう。

7については，少し後で述べます。

（3） 幻聴に対する認知的介入の事例

　先ほどの事例について，認知的介入の実際を見てみましょう。
　彼女には，「家族を殺せ」という神の声が聞こえています。神の声であるという証拠は，声の全能性と，娘と犬の幻視です。
　ここで一つの疑問が生じます。なぜ，彼女はこれまで家族を殺したり，自殺をはかったりすることがなかったのでしょうか？　それは彼女が「矛盾」を感じていたからです。声の内容は宗教的なものではなく，「神の言葉」というにはほど遠いものだったのです。そこに矛盾を感じたので，その声が「神の声」であると信じられないところもあったのです。
　そこで，私は，矛盾について考えてもらおうとしました。
　第1の証拠についての矛盾です。神が「人を殺せ」と命令することがあるでしょうか。このことを考えてもらいました。彼女は敬虔なカトリック教徒です。人を殺すことは，カトリック教から外れたものです。以前，神父に相談したときにも，神父から「人を殺すことは，カトリック教の十戒で咎められた罪である」と言われていました。こうして少しずつ矛盾が広がりました。
　次は，第2の証拠に対する矛盾です。私たちは，幻視の矛盾について，時間をかけて話しあいました。
　まず，ミシェル（娘）の幻視についてです。ミシェルは，30年ほど前に中絶した子どもです。カトリックの信仰では，人が死ぬとその魂だけが天国へ行きます。魂ですから，天国で成長することはありません。ところが，ミシェルの幻視は，赤ちゃんの姿ではなくて，娘の姿をしていました。つまり，天国で成長していたというわけです。成長するはずがないのに成長していた。これが第1の矛盾です。
　次に，娘さんと犬がいっしょに来るという点です。カトリックでは，動物に魂はないと考えられているそうです。魂が存在しないはずの犬が，娘さんといっしょに来ることは，敬虔なカトリック教徒である彼女にとって，矛盾であることになります。これが第2の矛盾です。
　このような話をしているうちに，声が神のものだとするとあまりにも矛盾が多すぎることに彼女も気づきはじめました。声の主は，決して完璧ではない。つまり，この声は，神のふりをしているにすぎない。こうして，「ああ，これ

は神ではない。神を名乗ってはいるが，本物の神ではない。だから，声の言っていることを信じる必要はないのだ」ということに少しずつ気づいていきました。

彼女の幻聴は，今も続いていますが，その命令を実行しなければならないと悩むことはなくなりました。その結果，声の支配力は，弱くなっています。

（4） 対人関係スキーマの変容

幻聴の認知的介入には，別の観点からのものもあります。それは，「対人関係スキーマの変容」ということです。これについて，やや詳しくお話しいたします。

私たちの研究によると，幻聴は，クライエントの実際の対人関係を反映しています。つまり，クライエントと幻聴の関係は，クライエントと実際の他者との関係に等しいようです。実際の対人関係で感じている他者意識を，幻聴の相手に投影しているのです。

実際の生活で，クライエントは「自分は人より劣っている」という劣等感を持っています。それによって，他者に服従してしまうことが多いようです。そこで，幻聴の相手に対しても，劣等感を持ち，服従してしまうようです。私たちは，これを「自動的な服従（automatic subordinate）」と呼んでいます。

私たちの研究によると，幻聴のあるクライエントの3分の2が強い抑うつを持っています。私たちは，この抑うつについて，重回帰分析を用いて調べてみました。その結果が，図5－3です。図5－3に示されるように，抑うつは，幻聴の活発さ（回数や強さ）とも関係はありますが，それ以上に，社会的階級

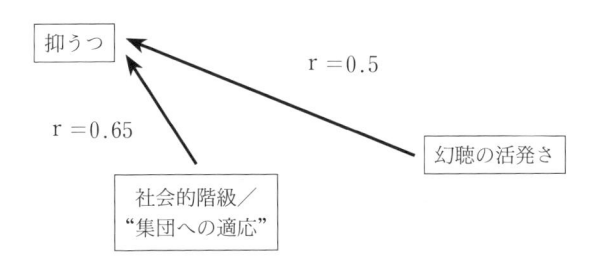

図5－3　幻聴への服従は実際の対人関係を反映している

（図中：抑うつ　$r=0.5$　幻聴の活発さ　$r=0.65$　社会的階級／"集団への適応"）

や集団への適応との関係が強かったのです。このように，幻聴への服従は，実際の対人関係を反映しています。

　実際の対人関係においては，相手を自分より下におとしめようとする場合に，「相手に恥をかかせる」という方法を用います。幻聴でも同じことがおこっているのです。つまり，幻聴の相手も，クライエントに恥をかかせて，クライエントをおとしめようとします。クライエントに，「幻聴はなぜ苦痛なのですか？」と聞いてみてください。多くのクライエントは，「幻聴が，私の恥ずかしい体験を思い出させるから」とか「幻聴が恥ずかしいことを言ってくるから」と答えます。クライエントは「幻聴が私に恥をかかせて，私をおとしめている」と感じてしまいやすいのです。

　認知行動療法では，こうした対人関係の認知のことを対人関係スキーマ (interpersonal schema) と呼んでいます。これは，頭の中にある人間関係の略図とでもいうべきものです。クライエントの対人関係スキーマは，劣等感や服従という側面が強いわけです。これが幻聴の相手との関係に反映するわけです。このことを示したのが図5－4です。対人関係スキーマが，幻聴に対する信念や感情を規定します。同時に，対人関係スキーマが抑うつをもたらします。私たちは，クライエントを対象とした大規模な調査をして，このことを確かめました。

　認知行動療法では，こうした対人関係スキーマの変容をめざします。自分が恥ずかしいと思っていることについて話し合うのです。それが本当に正しいことなのか，正しいのならば，それを乗りこえるためにはどうしたらよいのか，といったことについて話し合います。クライエントが恥ずかしいと思っている

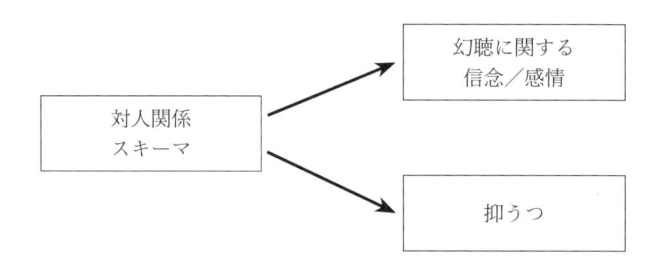

図5－4　対人関係スキーマと幻聴・抑うつの関係

ことというのは，誰もが体験していることなのです。ですから，それがクライエント独自のものではなく，誰もが体験するものなのだということを納得してもらうようにするのです。治療者との会話を通して，クライエントは，劣等感に気づきます。そして，劣等感を持たずに人間関係をきずいていく能力を身につけるようにしていきます。

まとめると，次のようにいうことができます。

1) 幻聴は，クライエントの実際の対人関係を反映します。幻聴によって迫害されているという感じを持つのは，自分の社会的な立場が弱いことにもとづいています。

2) 幻聴の声とクライエントの間には，ある種の対人関係が成り立っています。

3) 幻聴に対する信念は，対人関係スキーマの内容によります。

4) 抑うつが生じるかどうかは，対人関係スキーマの内容によります。

5) したがって，対人関係スキーマを変えることが治療的な意味を持ちます。

6．認知行動療法の効果

最後に，私たちの方法の治療効果についてお話しします。

私たちは，1996年に，幻聴について認知行動療法の治療効果の研究を発表しました（Drury, et al., 1996）。対象となったのは，精神病を持つクライエント40名です。3つの群に分けて，①認知療法を行った群，②一定の支援活動を行った群，③モニタリングを行った群を作りました。その結果，いずれの群も陽性症状は改善しましたが，認知療法群で改善度が大きいことがわかりました。図5－5に示したのは，退院9カ月における残遺症状の結果です。認知療法群では5％の人にしかみられていません。

また，これとは別に，幻聴についての信念や「対人関係スキーマ」を変える認知行動療法の効果も調べました。対象としたのは，命令する幻聴を持つクライエントです。

その結果，認知行動療法の結果は良好でした。クライエントの大部分には，現在でもまだ幻聴が残っています。しかし，クライエントは幻聴を苦痛だとは

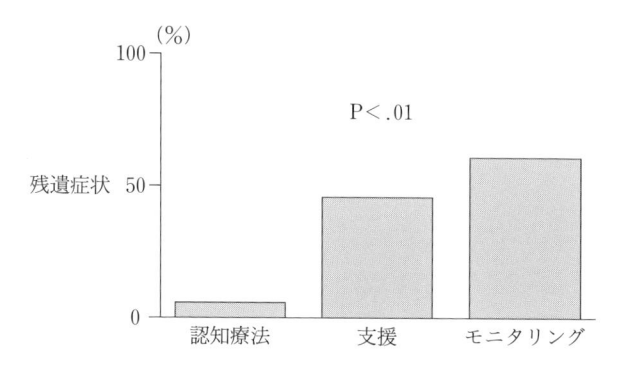

図5－5　急性精神病の認知療法：9カ月時点の残遺症状

感じていません。認知行動療法のあとには，約55～60％のクライエントが，命令幻聴に従った行動が減りました。

このような研究から，幻聴の認知行動療法には強い効果があることが証明できました。

本日は，幻聴の認知行動療法を中心に，アセスメントや認知的介入について具体的にお話ししました。精神分裂病の認知行動療法については，私たちの著書『妄想・幻聴・パラノイアへの認知療法』(Chadwick, Birchwood & Trower, 1996) や，Kingdon と Turkington (1994) の『精神分裂病の認知行動療法』といった本も参照していただければと思います。

日本において，精神分裂病に対する心理学的な介入が盛んになることを祈念しております。今回のお話が少しでもそれにお役に立てばと思っております。ありがとうございました。

●参考文献

Chadwick, P., Birchwood, M. & Trower, P. 1996 *Cognitive therapy for delusions, voices and paranoia.* John Wiley & Sons.

Drury, V., Birchwood, M., Cochrane, R. & Macmillan, F. 1996 Cognitive therapy and recovery from acute psychosis: a controlled trial. I. Impact on psychotic symptoms. *British Journal of Psychiatry,* 169, 593-601.

Kingdon, D. & Turkington, D. 1994 *Cognitive-behavioural therapy of Schizophrenia.* Guilford Press.

Van Os, Hassen, Bijl & Ravelli 2000 Strauss (1969) revised: a psychosis continuum in the general popuration? *Schizophrenia Research,* 45, 11-20.

6 章
精神分裂病治療における認知行動療法の役割

池淵恵美

1. 精神分裂病に伴う障害

(1)「障害」とは何か

1) 障害の構造

　精神分裂病では幻聴や妄想などの精神症状があり，その原因としては解剖学的，神経生理学的，神経心理学的な機能異常が想定されています。これは機能障害（impairment）と呼ばれています。

　機能障害はおもに診察室での面接や諸検査によって診断することが可能ですが，それと同時にさまざまな社会生活上の障害があり，これには日常生活を行ううえでの障害（活動の制限）と社会的役割を遂行するうえでの障害（社会参加の制限）があります。精神障害の罹患とともに，注意の維持が困難になったり，周囲の人とのコミュニケーションがうまくいかなくなったり，睡眠など1日の活動スケジュールが不安定になったりするために，離職せざるをえなくなったり，家族のなかで父親の役割を果たせなくなるなどが，障害の例です。

　精神障害にかぎらず，慢性疾患では多くこれらの障害が，症状の消長とともに存在しています。精神分裂病の治療にあっては，幻聴の改善など精神症状の治療のみでは不十分であり，生活上のさまざまな障害への幅広いアプローチが必要になってきます。

2）症状と障害への同時アプローチ

　症状が改善すればその結果としてさまざまな障害が解消するという単純な因果関係にはないことに留意してください。骨折で長く松葉杖をついていた場合には，骨折が治癒しても筋力低下があるためにただちに歩行可能にはならないでしょう。もともと骨折しやすい基礎疾患（たとえば脳梗塞）があれば，そのことが歩行能力にも影響してきます。結局，疾患（脳梗塞）と，機能障害（骨折）と，日常活動（自力歩行）とは，同時並行で治療的なアプローチをしていく必要があるのです。認知行動療法など，さまざまな治療を実施するにあたって，常にこのことを念頭におく必要があるのです。

　さらに，病休が長くなって職を失ってしまった場合，慢性疾患であったり，障害が重篤であればあるほど，社会的な役割の再開に対して何らかの援助が必要になります。当事者にとって最も深刻なのは，社会的役割を失ってしまうことである場合がしばしばで，「骨折が治ったからもう退院できますよ」といわれても，本人にとっては長い間の病気療養で失職しており，病前とすっかり変わってしまった日常生活に呆然とするだけかもしれません。仕事を失うことによって，歩行訓練の経済的基盤も意欲もなくなって，結果的に回復に支障がでるなど，社会参加の制限が活動や機能障害にも影響を与えることがあり，これはとくに精神障害の場合，顕著であると考えられています。長期入院による「施設病」がその端的な例でしょう。したがって，治療的なアプローチとともに社会福祉的な援助もまた，慢性疾患では忘れてはならないことです。

　もう少し話を進めると，どこまで社会生活ができるかについては，疾患や障害の重さだけでなく，社会制度や，障害を受容する文化によって異なります。わかりやすい例は車椅子を使用している人で，外出可能かどうかは駅でのエレベーターや歩道の工夫にもよるし，また就労できるかどうかは，会社が車椅子の人を雇用するかどうかに多く規定されています。

　以上述べたことは，これから精神分裂病の認知行動療法を考えるうえでの基本的な枠組みです。つまり疾患の治療（薬物療法が中心）と，日常生活の障害への治療的アプローチ（個人精神療法，認知行動療法などの心理社会的治療）と，社会的役割の援助（家族援助，環境調整，社会福祉制度の活用など）を，同時に実施することではじめて，精神障害に罹患したことによるさまざまな不利を払拭することが可能となるのです。

(2) 精神分裂病による生活障害

1) 生活障害の実態

　慢性精神障害者は深刻な生活障害をかかえています。たとえば1984年に行われた米国での調査によると，精神病院から退院した人のうちフルタイムで一般就労しているものは20％程度とされています。わが国では全国精神障害者家族会連合会により1993年に3471名を対象に調査が行われましたが（全国精神障害者家族会連合会，1993），一般事業所で就労しているものは全体の15.4％（そのうち正社員は5.4％）でした。同じ調査では，就労したいと希望するものは66.9％であり，実態との落差が大きいことがわかります。結婚生活を送っているものは，分裂病，感情病など診断によって異なりますが，20〜50％という数字が報告されています。

　米国の代表的な精神病院で退院患者を追跡調査（McGlashan, 1988）した際にも，退院して平均十数年経っていたにもかかわらず，持続的に日常生活が障害され入院を含む強力な治療が必要な例は，精神分裂病では41％にのぼっています。同じ追跡調査では，診断別による生活障害の程度の差も明らかにされており，精神分裂病で最も深刻でした。

2) 生活のためのスキル

　生活障害を，当事者の視点からポジティブにとらえたものが，生活のためのスキル（技能）です。生活が健康で満足度の高いものであるために必要とされるものが，自立生活のためのスキル（independent living skills）であり，社会生活技能（social skills）や，日常生活技能（living skills）や，疾患に対処したり健康を維持したりするための技能などから成り立っています。

　これらのスキル獲得に役立つ技術のひとつが認知行動療法です。自立生活技能は必ず，周囲の状況・環境との関わりのなかで，成り立っています。社会生活技能はことに，環境との関わりはダイナミックなものであり，行動分析の手法が有用です。つまり，行動の前はどんな状況であり，それに対してどのような受け止め方がなされたのか，どういう行動が選択されたか，その結果どのような反応が周囲からもたらされたか，という行動の生起をめぐる一連の流れの分析です。

3）スキル不足の成因

なぜ特定のスキルが不足しているかはさまざまな成因が絡んでいます。まずスキルを持っていても十分に発揮されない場合があり，これは動機が不十分であったり，精神症状や衝動行為などの妨害要因が働いていることが考えられます。不安が強いことが原因である可能性もあります。また，これまで十分に学習されなかったためであることも多く見られます。それには，社会人としての対人関係を学習すべき思春期に発病してしまうことや，神経心理学的な脆弱性が基盤になって，うまく学習できないことが原因として指摘されています。Meehl（1989）は，分裂病素因によって健常者と異なる作動特性を持った中枢神経系が形成され，神経心理学的検査などによって把握が可能な一時的認知障害（ほぼ機能障害にあたる）が形成され，さらに環境との相互作用によって二次的な認知・行動障害（生活障害にあたる）が形成されると考え，一次および二次の障害へのアプローチを理論的に想定しています。スキルの欠如に対しては，認知行動療法のなかでも，行動形成（shaping）が有用と考えられます。

さらには，入院や自宅での閉じこもりなどの不利な環境に長期にさらされたことで，本来の技能を失ってしまっている（または技能を発揮する必要がない状況に置かれている）ことも考えられます。適切な環境を整えることがもちろん第一になされるべきであり，安心感のある・楽しめる環境を整え，ゆっくりと意欲をひきだしていくことが最初の一歩です。また身近なリハビリテーションのゴールを設定することや，ちょっとした進歩に対してもあたたかい励ましをすることで，内的な動機づけを高めることが援助者には求められています。

4）長期予後との関連

生活のためのスキルは分裂病の発症，経過，予後に関わることが知られています。たとえば，New York High Risk Study でも発症前からすでに社会生活技能が低下していることが報告されています（Dworkin, et al., 1990）。Carpenter & Strauss（Carpenter & Strauss, 1991；Strauss & Rochester, 1974）は，精神病症状を呈して入院した患者の11年転帰（精神分裂病で追跡可能であったのは40名）において，入院時に社会的交流の量が多い患者は症状の重症度や就労状況や社会適応水準などが良好であったことを報告しています。自験例（未発表データ）においては，41例の分裂病と診断された患者を対象として，

ロールプレイテストによって測定した社会生活技能と，全般的な適応水準（GAFにより測定）との関連を解析しました。GAF得点を従属変数とし，精神症状，罹病年数，服薬量，WAIS-Rの成績などを独立変数とした重回帰分析において，1年後および5年後のGAF得点に対して，社会生活技能は有意な寄与を示していました。

2．精神分裂病治療の枠組みと認知行動療法

(1) 治療の枠組み

1) 薬物療法の必要性

　先にふれたように，感情病，精神分裂病などほとんどの精神障害は，精神・生物学的な脆弱性（神経生理学，認知心理学，心理学的な検査技法によって推定される遺伝的な素因と，発育過程で加わる精神的，人格的な素因）を有する個人に，環境からのストレスが加わって発生・悪化することが知られています（ストレス―脆弱性モデル）。ストレスのなかには転職や結婚など生活上の出来事や，家族との慢性的な葛藤状況などが含まれます。脆弱性が大きければ，ささいなストレスによって容易に再発を繰り返すことになります。

　精神障害の悪化に対抗して，保護的な役割を果たすのが薬物療法であり，またストレスそのものを減らすのが社会的な支援（社会福祉面での援助）であり，さらにストレスを効果的に処理するための援助が精神療法などの心理・社会的な治療法です。そして，心理・社会的な治療法のひとつが，近年発展を見ている認知行動療法です。治療を進めるにあたって，まずは最適な薬物療法が実施されることが大切です。

2) 治療的環境でのスキル学習

　精神症状がある程度安定している時期に，治療的環境で自立生活のためのスキルの（再）学習を援助します。

　ここでいう「治療的環境」とは，①まずは現実の生活でストレスとなっている課題（たとえば受験や，職場での過大な職務など）をいったん棚上げし，リハビリテーション中心の生活を保障します。入院やデイケア通所などがこれら

の環境を保証するために使われます。②治療者や家族によって，不安をていねいに聞くなど心理的サポートをしっかり行います。③治療を受ける本人が，興味と関心を持てて積極的に参加できること，自分で参加を選択できることも大切です。④社会生活に必要なスキルは多く集団のなかで学習されますが，その集団は相互にあたたかな信頼関係があり，自主的な活動が可能であるとともに，問題行動にはスタッフが積極的に介入するなど限界設定が行われていること，さまざまな社会的役割が用意されていることなどが望まれます。

　こうした治療的な環境，すなわち適度なストレスと課題のなかで，スキルを学習していくわけですが，仲間から学ぶ相互学習や，自尊心や活動性の改善に伴う，自らの回復や心的成長がまずは期待されます。そして体系的な認知行動療法や，集団場面での認知行動療法の技術の応用がそうした（再）学習を助けるのです。介入の成否は，精神症状の安定化とともに，社会的役割の幅が広がり，自信や満足感が増加してくることで判断することができます。

　精神分裂病に罹患している人はしばしば，社会的興味が乏しく，自己の殻に閉じこもり，周囲の人に共感したり，協同したりすることが難しくなっています。本人はそれをさみしいと感じて強い孤独感に悩み，「自分は誰からも好かれない」とか，「社会には自分は必要ではない」と自己卑下していることがほとんどですが，だからといって周囲に合わせることがうまくできず，やろうとしても疲労困憊してしまったりする結果，結局引きこもりになってしまいがちです。

　しかし心のなかでは同時に，「自分はもっと一流の人間のはず」などと思い，尊大にまわりを見下していることもよくあります。こうした人に，興味を持って共同で活動してもらうこと，そのなかで自己卑下でも誇大的な孤立でもなく，社会的に妥当な自己評価を持ってもらうことは，かなり困難な作業であることは想像できると思います。治療者は，本人の乏しい社会的興味を必死で探り，難しい対人関係のバランスを何とかとりながら，仲間に入っていけるように，いろいろな社会的役割を工夫することが求められるのです。

3）認知行動療法の標的

　認知行動療法のおもな標的は，①ストレスの緩衝剤となるあたたかで安定した対人関係を持つためのスキル，②当面のストレス状況に対処するためのスキ

ル（たとえば苦手な状況を回避するためのスキル），③精神疾患のセルフマネジメント技能（服薬自己管理など），④持続的な精神病症状への対処技能，⑤当事者を取り巻く環境や環境との相互作用への介入，⑥認知プロセスの改善，です。

　通常ターゲットとなるのは，ごく具体的な，特定の状況においてみられるふるまいであって，スキーマのような抽象的な考え方や態度ではないことに留意してください。また，外界の刺激をどう把握するか，それをどう意味づけするかといった認知のしかたそのものを改変しようとする介入でもありません。ピンポイントのごく具体的な行動（たとえばデイケアの友人に自分の関心を伝える）の改善を積み重ねるなかで，自己の精神症状や周囲との適切な関わり→安心や満足→精神症状の安定化，という良循環を通して，社会的な機能の改善をねらっています。認知行動療法を実施するにあたって，逆説的に聞こえるかもしれませんが，どこまで認知的な介入（たとえば同年齢の友人に接近するときに生ずる不安をどう軽減するか）に踏み込めるかは，その人のその時点での認知機能の健全さに頼る部分が大きいと思われます。そして分裂病の場合は，多く行動レベルの改善が優先されることが多いというのが，筆者の経験です。

　認知行動療法によって獲得されるスキルは，ストレスを減らしたり上手に対処することを通じて，「再発の防御因子」となるものですが，再発の引き金となる特異的なストレスへの直接的な対処能力の形成は，短期的には達成困難な学習課題であると筆者は感じています。十分な準備なくストレスフルな状況に立ち向かうことは，しばしば再発の危険にさらすことであり，リスクが高い課題です。しかし地道なスキルの改善を通し長期的に社会生活が安定するなかで，精神療法との協同によって，スキルよりは高次の認知的構え，すなわち「再発をひきおこすような大きなストレスへの構え」が学習され，再発への悪循環から脱却することが可能であると筆者は考えています。

（2）　治療の実例

1）Aさんの障害とその成因

　典型的な分裂病の例を示したいと思います。実在のケースではなく，何例ものケースから中核的な部分を抽出していると考えてください。

　Aさんは25歳の男性です。高校を卒業したあと，アルバイトをしながら語学

の勉強をして，米国留学を目標にする，まじめですがかなり野心的な青年でした．友人にもガールフレンドにも恵まれ，順調な生活ぶりだったようです．しかし留学を目前にして，1日10時間のアルバイトと，その後の語学の勉強の過労が重なり，激しい幻覚妄想状態となって，両親に気づかれました．実はそのかなり前から，よく眠れないと訴え，身だしなみなどにもかまわなくなっていたこと，病状悪化の数週間前には怒りっぽくなり，またかなり高揚した様子で渡米後の生活など語っていたようですが，誰も精神病のはじまりとは気づかなかったのでした．

3カ月間の入院で，誇大妄想と活発な幻聴を伴う精神病状態は改善しましたが，生活のしかたや話しぶりがすっかり変わり，両親からみて「まるで別人のよう」になってしまい，リハビリテーションを目的にデイケアに紹介されてきました．

以下に，Aさんの状態をまとめてみます．

精神症状

活発な幻覚および妄想は消退しており，そのときの体験は「よく思い出せない」．何らかの精神疾患であるとの認識は不十分であり，体験症状もそうとは認識できないため，治療について不承不承であり，よく「いつまで薬を飲むんですか」とたずねる．感情に乏しく，とくに周囲の人の感情には無頓着に見える．同じ発言や行動の繰り返しが多い．社会的な興味がかなり乏しくなり，テレビやニュースにも関心がないようである．一方で年齢にふさわしくない，幼い言動に気づかれている．しばしば不安になりやすく，また全般的に軽度の抑うつ症状が認められる．

自己認識

「自分はもう駄目かもしれない」という思いが強く，しばしば絶望的になって「死にたい」などと訴えるが，友人が就職した話をきくとすぐに，「自分も仕事くらいできるはず」などとあせり出すなど，自己評価が両極端で両価的である．地道な作業療法などは，「自分には向かない」と興味がないようで参加しない．したがってストレスの少ない，課題のやさしいリハビリには関心がなく，すぐに難しい課題に挑戦しようとし，動機づけが難しい．

認知機能

短時間しか注意が持続しないため，いろいろなプログラムの最中にもしばし

ば中座する。課題の理解力の低下がみられ，簡単な課題でも何回も説明を繰り返す必要がある。処理スピードは遅くないが，不注意によるミスが多い。段取りをつけることが難しいため，作業などでも逐一指示をする必要がある。目先の刺激ですぐに思考内容が変わってしまうため，言動が一貫しない印象を与える。

対人関係
被害的に受けとめやすく，不安や絶望感が惹起されやすい。周囲の状況や人の気持ちへの配慮が乏しく，「一方的」に動くことが多い。昔の仲のよかった友人やかわいい女性など，かぎられた人にしか関心を示さないが，友人や仲間がほしいという気持ちは強い。安心できる人に対しては，素直でやさしい面を表現することができる。

日常生活
一度活動をはじめると高揚しやすく，なかなか寝つけなくなり，一度睡眠をとると長時間になってしまうなど，活動と休養のリズムが乱れやすい。家族と同居しているため，現在家事の必要性はないが，入浴など家族の声かけが必要である。簡単な家事の遂行能力はあると思われるが，誰かが管理・指導する必要があると思われる。Aさんは両親を信頼しており，両親も精神障害に理解を示して，家族会にも積極的に参加している。両親とはよくその日の出来事などを話し合っているようであるが，一方的に保護を受けている関係といってよいだろう。

ストレスへの対処
些細に見えることでよく不安・抑うつ的となったり，注意の持続障害や焦燥感が悪化するが，なかなかストレスをそれと認識できない。状態が悪いときは家族や医療関係者への訴え（「もう死にたくなるんです」「いつになったら仕事ができるんですか」など）が増え，繰り返し同じことを訴える。本人も「つい家族にあたってしまう」と述べている。

2）治療の実際
デイケアへの導入
まず治療プログラムに関心を持ってもらうことが問題です。そこで，「Aさんはもともと留学を目標としていた能力のある人なので，きちんとリハビリを

すればまた目標をめざしてやれるようになると思う」とまずはしっかり本人の希望を尊重し，つぎに「そのためにはすぐにアルバイトしたりしないで，少なくとも1年間はリハビリ中心の生活をしてほしい」と，具体的に生活のしかたを提示し，人生の課題を棚上げしてもらいます。ここでは期限を明示することが重要で，そうでないとすぐに盲動したり，また先行きに絶望して治療意欲をなくしてしまうことがおこります。デイケアのプログラムについては，「先々仕事ができるようになるために，まずは簡単な作業や，スポーツ，料理などの集団活動が役立ちます。学校生活の延長のようで，少し物足りないかもしれませんが，そのうち友だちができると案外楽しくなるかもしれません」などと本人の不安定な自己評価を前提にした説明をします。デイケアスタッフは本人の現在の認知能力や，ストレス耐性や，持久力から可能な活動メニューを工夫しますが，それはしばしば病前の機能であればきわめて簡単にこなせるものであったり，30分程度の短時間メニューであったりするために，現在の能力を認識していない（認識できない部分と，否認している部分があるように思われる）本人からすると，やりがいのない，つまらないものと感じられることがあります。ここで，本人の現実の能力を突きつけてしまうと，すぐに病状の悪化やプログラムからの脱落につながってしまいます。活動性がかなり低下していたり，自信をすっかり失っている場合だと逆に，活動メニューに対して圧倒されるように感じて後込みすることもあります。この場合には，やれそうなことを少しずつこなしてもらい，やれたことをしっかり評価します。

満足感のもてる社会的役割への導入

　ある程度，デイケアの治療的集団のなかで仲間といっしょに活動できるようになったころを見計らって，本人の自信や意欲の回復につながる，社会的役割を準備します。Aさんはもともと，まわりから称賛されることに目を向けてきた人だったので，まずはお茶係としてミーティングのときに，皆にお茶とお菓子を配ることなどをやり，その成果をふまえてミーティングの司会役をやってもらいました。緊張して負担になって休んだり，はりきりすぎて言うべきことがどこかにいってしまったり，皆の意見をまとめられずに自分の言い分を通そうとしたり，いろいろな失敗を重ねながらも，少しずつ係りの仕事になれ，デイケアの仲間から認められるようになって，自信が回復してきました。同じころからいっしょに帰ったりする仲良しもでき，それまでつらそうに参加してい

たのと比べて，楽しそうにデイケアで過ごすこともみられるようになりました。それとともに不安・抑うつの頻度が減少してきたことや，注意の持続力が回復してきたことや，生活リズムが安定してきたことが観察されています。

認知行動療法

デイケアが楽しくなって元気が出てきたころから，対人技能の改善をめざして生活技能訓練に参加をすすめ，また疾病への対処技能の練習も行うようになりました。生活技能訓練では，デイケアでのさまざまな場面や日常生活で本人がもう少し上手になりたいと感じたことを取り上げて練習します。Aさんの場合には，帰り道どうしたらもう少し会話が続くようになるか，司会で皆にどう意見を言ってもらうといいか，話し合いへの参加の上手な呼びかけ方，昔の友達に遊びに誘われたときの対応などです。疾病への対処技能では，不安で落ち着かないときの対処方法を皆でいろいろ考えて提案し，本人にその一つを選んで実際に実行してもらいました。自分なりの対処方法を見つけることが目標です。また自分はどういうストレスに弱いか，ストレスにぶつかったときにどのような精神症状が出現しやすいか，その際に医療関係者にどう援助を求めるといいかも練習しました。Aさんにかぎらず，なかなかストレスを認識できないので，グループでの話し合いのなかで他の人の意見を聞くことが参考になります。また薬物療法の効果と副作用についてもいっしょに学習し，診察場面で薬についてどう相談するか，ロールプレイで練習しました。

個人精神療法

デイケアでの集団場面と平行して，外来主治医やデイケアのスタッフと，定期的に個人面接を行います。これは治療を行ううえで，しっかりした信頼関係を築いて，治療目標を設定したりその後の治療を支えていくことが大きな目的であり，また集団場面ではとらえにくい精神症状や心理的側面の評価を行いさまざまな介入の舵取りをしていくことも行い，さらには集団で経験したことを言語化して，新たな社会的学習を促していきます。Aさんはしばしば被害的になって，「デイケアをやめてアルバイトします」と言い出すので，その気持ちや原因になった体験を話し合い，もう一度デイケアでの目標を話し合いました。また，Aさんがやれていることや，改善した点を繰り返し評価し，もろい自我を支えて自尊心の回復をめざしました。病状悪化に対しては，定期面接で薬物の調整や周囲の環境との調整も行っています。精神分裂病に伴う障害を受

け入れ，過剰なストレスや無理な生活課題を避けて，慢性疾患である分裂病とつきあいつつ，しかも希望を持って生きていくことは，心理的にきわめて難しいことであり，これを達成できない（もしくはそれをすすめると病状悪化につながる）例も多いため，一般的な目標は立てにくく，症例によっていねいに個人面接で援助していくことが必要になってきます。

　分裂病を受け入れることはそれまでの人生の目標の変更を迫られることだからです。障害の受容は，同じ病気を持つ仲間との交流でもしばしばはぐくまれていきます。もちろん一方では，可能なかぎり本人の健康な持てる力を活かし，社会生活での具体的な援助をしていくことも忘れてはならないことです。たとえば学校に行けるようになったことで，生き生きとして自信を取り戻し，徐々にもとの生活能力や対人能力に近づいたり，場合によっては病前には見られない心的な成熟を果たす例もあり，人生の課題をできるかぎり援助することは，治療的にきわめて重要な戦略となっています。

就労援助

　デイケアでの治療目標をほぼ達成したので，就労を目標とすることでAさんと合意し，どのような仕事が適当か個人面接で十分話し合い，また就労準備グループのなかで，さまざまな仕事（たとえば短時間アルバイトと正社員など）のよい点とストレスについて話し合い，生活技能訓練で就職の際の面接のしかたや，上司との対応のしかたなどを練習しました。Aさんははりきるとすぐ不安になるため，個人面接であせりすぎないように支えながら，適した職場を探しました。結局病院の近くの食品製造会社で就労の練習という条件で，安い時給ではありますが雇ってくれることになり，デイケア職員が職場訪問を通じて援助しています。

3．対人技能の改善－生活技能訓練
　　（social skills training）

（1）　治療技法

　生活技能訓練で用いられる治療技法はいずれも，認知行動療法と社会的学習理論が基盤となっています。

①ロールプレイ

　特定の社会的な行動をその場でシュミレーションするものです。たとえば家族との会話練習であれば，治療者または他の練習参加者に家族の役割をしてもらい，実際の会話を再現します。次にロールプレイで示された行動の十分な点と不十分な点が同定され，不十分な点について練習します。その際，具体的なやり取りの内容など言語的な側面とともに，表情，視線，声の大きさなど非言語的な側面の改善も重視します。

②モデリング

　観察によって目的とする行動を学習するもので，社会的行動の学習は多く模倣学習によっているところからこの技法が用いられます。その際に，不足している特定の技能（たとえば視線のあわせ方）に注意を向けることで，学習の促進を図ります。モデリングは，治療者などが実際に行動をロールプレイの形で示すやり方のほかに，ビデオも用いられます。

③フィードバック

　ロールプレイによる学習行動を強化するために，具体的な行動内容を言語化して相手に伝えるものです。治療への動機づけを高め，また行動への自信（自己効力感）を強めるうえで，ポジティブフィードバック（優れた点を誉めて強化する）を重視しています。また改善点を言語化することにより，記憶への保持を促します。

④般化練習

　ロールプレイで学習した行動を日常生活で実行する練習です。実際の社会的な行動が改善するためには重要な部分です。治療者が同伴して実地練習を行ったり，家族への協力を求めるなどの工夫で，徐々に日常生活への般化（練習以外の場面でも，学習した技能が使われるようになること）を進める工夫をします。

（2）　セッションの流れ

　生活技能訓練の開始にあたっては，あらかじめ社会生活技能の水準についての評価（機能評価）を行い，生活障害を改善するために必要な技能を把握して練習の標的とします。また毎回の練習ごとに，改善した技能についての評価をし，次の練習計画に結びつけます。

生活技能訓練は個人治療としても行われますが，集団治療として行われることが多くなっています。それは集団の他のメンバーとの相互交流によって練習への高い動機づけが得られ，さまざまなメンバーとロールプレイできることで多様な社会的行動を練習することができ，またより社会生活技能の優れたメンバーをモデルとして自然な学習が可能であるなどの利点があるためです。参加人数は8人程度が理想であり，所要時間は1時間前後です。

　集団で行う場合，まず練習の目的や方法を説明します。次いで前回の練習で各人が設定した宿題の報告をします。課題が達成できていれば次の練習目標に進み，うまく達成できていなければロールプレイによって再練習します。練習の結果によってその回の宿題を設定します。このように，生活技能訓練は練習した行動を日常生活に持ち帰って実行し，さらに不足な点を練習して日常生活で実行するという繰り返しがおもな流れになっています。ロールプレイでは，まず問題場面をできるだけ具体的に（現実に近づけて）設定し，予行演習（通常実施している行動をそのままロールプレイで再現する）を行い，新しく学習すべき行動をモデリングで観察し，改善点を再練習します。それぞれの練習ごとにフィードバックがあり，動機を高め優れた行動を強化するポジティブフィードバックや，改善点を明確にするための矯正的フィードバックが行われます。

（3）　認知機能障害を補う学習方法の工夫

　精神分裂病の生活障害の背景には，認知機能障害があることが知られています。まず分裂病の神経心理・生理学的検査では，健常者との比較において，選択的注意維持の機能，遂行機能，短期記憶の再生機能，作動記憶などさまざまな要素的認知機能が低下していることが知られています。そして生活するうえでのスキルの低下については，幻覚や妄想などの陽性症状や，思考の貧困などの陰性症状よりも，認知機能障害が大きな役割を果たしていることが指摘されています（Green & Nuechterlein, 1999）。そこで，こうした認知機能障害のある人に対して，必要なスキルを学習・使用できるようにするために，生活技能訓練ではさまざまな工夫が行われています。

1) 適応的アプローチの直接的学習

　必要なスキルを，認知機能が不十分でも使うことのできる一連の行動として，ロールプレイなどで具体的に学習するやり方です。たとえば，一般的に分裂病では周囲の状況把握が不得手ですが，これは非言語的情報の認識や抽象的な目的の把握が障害されているためと考えられています。そこでSSTでは，「どのような状況でどう相手に話しかけるか」の具体的な手がかりとして，相手の視線・表情・声のトーン・姿勢から，いくつかのパターンを学習してもらい，それぞれのパターンを話しかけるうえでの go-sign と no-go-sign として識別し，行動する練習をしています。また話しかけていいかどうか迷うのではなく，「いま話してもいいですか」と質問をするスキルを使うことで，適切に話しかけるようにすることも行われています。

　また特定の葛藤場面では，その場を切り抜けるための「適応的な行動」を学習してもらいます。この際の「適応的」という意味は，行動分析のうえで最大の報酬が得られる行動であり，また同時に当事者の目的や希望にかなったものであり，おかれている文化や社会の規範からして妥当性のあるものです。たとえば，職場で叱責を受けたときの対応法を練習することがこの例です。この際のターゲットは，ごく具体的な，特定の状況においてみられるふるまいです。ピンポイントの認知行動レベルの改善を積み重ねるなかで，精神症状→不適切な対処行動→周囲からの否定的反応→不安や苦痛→精神症状の悪化という好ましくない悪循環を断ち切ることをねらっています。

　状況判断の進め方を学習するうえでは，問題解決技能訓練がよく用いられます。さまざまな対処法を出し，それぞれの長・短所を検討し，もっとも適切な行動を選択する練習です。

2) 認知機能を代償する学習方法の使用

　Libermen (1992) らによって分裂病を対象として工夫された生活技能訓練では，認知機能障害を前提としてスキルの学習方法が組み立てられている点に特長があります。

　たとえば，①自発的参加を促すために，いつも練習のゴールを明確にする，②ビデオなどを用いて，視覚と聴覚双方からの入力を使用する，③妨害刺激を避け，訓練場面をわかりやすい構造化されたものに保つ，④直後の正の feed back による行動の強化，⑤複雑な行動を小さいステップに分けて練習する，たとえば「頼む」という行動では，頼むタイミング，非言語的行動，言葉での伝え方，感謝の気持ちの表現，受け入れられなかったときの対応など，いくつものステップがあります。

認知機能を代償する学習方法としては，無誤謬学習（errorless learning）や，過剰学習（over learning）も用いられます。前者は失敗を犯さないように，的確な指示を行うなど学習者の能力にあわせて練習をすすめるやり方です。後者は繰り返し練習することで，いってみれば「体で覚える」やり方で，顕在記憶は障害されるが潜在記憶は障害されないという，分裂病の認知機能障害の特徴を生かした方法です。

4．新たな発展方向

(1) 疾病に対処するためのスキルのトレーニング

認知行動療法では，患者自身が症状の成因を理解して特定の対処法に取り組んだり，自己教示やセルフモニターなどを通じて，主体としての症状への対処が重視されます。そこで，認知行動療法を導入する際に，ミニレクチャーを行うなど心理教育的側面を組み入れることが多く，また心理教育を中心とした援助法に，生活技能訓練や問題解決訓練はしばしば併用されています。心理教育（psycho education）は，分裂病の家族を対象とするもの，本人を対象とするものいずれも，基本的な発想は疾病や治療法についての情報提供と，生活技能訓練や問題解決訓練を通じた対処能力の形成と，サポートシステムの形成により，疾病とその障害に前向きに対応することを可能にしようとするものです。

1）服薬のセルフマネジメント

モジュールは，特定の技能を学習する目的で作られた，治療パッケージです。Liberman（1995）らのモジュールは練習の進め方が以下のように決まっており，経験がまだ不十分な治療者でも，認知行動療法のプログラムが実施可能なように工夫されています。

　A．どういう目的で練習するか，参加者の目的を明確にするための導入を行

う。
　B．ビデオによって必要な知識や対処技能の学習を行う。
　C．ビデオで学んだ知識を維持・強化するためのロールプレイを行う。
　D．参加者が生活する環境で，学んだことを実行するために必要なさまざまな社会資源を検討する。
　E．実際に実行するうえで，おこりうる問題点について，問題解決技能訓練を用いて練習する。
　F．治療者が同伴して，生活の現場で実地練習する。
　G．一人で実際に実行する。

　服薬自己管理モジュールは4つの技能領域（1．抗精神病薬について知る，2．正確な自己服薬と評価の仕方を知る，3．薬の副作用を見分ける，4．服用に関する相談）からなっています。たとえば技能領域1では，まず再発・再入院を防止するために抗精神病薬についてよく知り，服薬を継続することが必要であることを学習することが目的です。ビデオでは，抗精神病薬の効果にはどのようなものがあるか，なぜ精神病症状がなくなっても維持療法を続ける必要があるのか，そのメリット等について学習します。ロールプレイでは参加者が質問に答える役割をとり，質問に答えるなかで知識を確実なものとする練習をします。社会資源管理では，薬物療法について，身近にどんな人が相談できるかリストアップし，必要であれば電話番号を調べたりすぐ相談できるようにします。おこりうる問題点については，参加者自身が服薬の継続に疑問があった場合にどうするか，解決法（たとえば主治医に相談するなど）を考えて実行の練習をします。最後に実際の診察場面で薬物についての疑問をたずねることを，はじめはあらかじめ主治医の了解を得たうえで治療者が同伴して練習し，最後に一人で試みることになります。

2）再発前駆症状への対処

　Birchwood（Birchwood, 1996；Birchwood, et al., 1997）は分裂病の初発症状への早期介入方法や，再発の前駆症状の検討と早期介入方法の開発について持続的に研究を行っていますが，活発な精神病症状が出現する前の前駆症状の時期に，認知的介入を行うことで再発を防ぐ試みを報告しています。再発の前駆症状が出現してからの介入技術の開発により，これまでは再発率の点で問題

のあった低用量維持療法についても，展望が開けてくるものと思われ，薬物療法の発展の観点からも，注目すべき領域です。

　先に述べたモジュールのうち，症状自己管理モジュールは，１．再発の注意サインを見つける，２．注意サインを管理する，３．持続症状に対処する，４．アルコール，覚醒剤，麻薬などの使用を避けるの４技能領域からなっていますが，技能領域１と２については，再発の前駆症状に対するためのスキルを練習します。

　やはり Liberman らのグループにより開発された地域生活への再参加プログラム（Liberman, 1995）は，退院して地域で安定して生活するための情報と，社会生活技能を提供することが目的で，16セッションから構成されています。内容は，地域生活への再参加状況の評価，外来治療や住居など退院に必要な設定の実施，地域の社会資源やサービスの学習，地域生活の計画とストレスへの対処，薬物および症状自己管理，病状悪化時の対応法の計画からなっています。病院から退院して街のなかで生活していくうえでは，精神障害であることを受け入れ，定期的に通院・服薬し，さまざまな生活障害に対してもある程度認識している必要がありますが，こうしたプログラムはそうしたことを可能にし，援助を受けながら，障害と共存して生活していくことを大きな目的としています。

　Kopelowicz ら（1998）は急性期で入院した59例の分裂病，または分裂感情病の患者に対して，地域生活への再参加プログラムを実施し，それによってコントロール群と比較して有意に地域生活についての知識が増加し，スキルも向上し，また確実に退院後の診察を受けることができたと報告しています。

（２）　地域ケアとの併用

　スキルは必ず，周囲の状況・環境との関わりのなかで成り立っています。先に，車椅子の人が就労可能かどうかは，環境要因によるところが大きいことを述べました。つまり，車椅子が使える傾斜路ができているか，援助してくれる人がいるか，障害を持っている人への福祉制度があるかなどです。したがって生活障害を持つ人がどのような社会生活を送れるかを知るうえで，こうした環境の評価も合わせて行う必要があり，またやれることとやっていることとの間にはしばしば乖離があることにも留意が必要です。精神障害者にとって最も重

要な環境要因は，人的資源です。

　わが国でもようやく，入院中心の精神医療への反省から，さまざまな地域ケアが模索されるようになっています。地域ケアはノーマライゼーションの理念からすすめていくべきものと筆者は考えますが，医療経済の視点からも，従来の入院と外来でのケアよりも地域ケアのほうが費用が少ないとの報告もあります（Knapp, et al., 1998）。地域ケアの先進国であるアメリカでは，In Vivo Amplified Skills Training（IVAST，実生活でも行われる生活技能訓練）が開発されています。これはひとつの治療チームによって，クリニックや精神保健福祉センターのSSTグループでの練習と，実生活での応用練習を同時に行うもので，実生活でもやはりさまざまな認知行動療法の技法が用いられます。実生活の練習はケースマネジャーが受け持つか，ケースマネジメントチームと密接な連携を持つことが必要です。Libermanら（2001）は，さまざまなキャリアの専門家・さまざまな職種が実施できるように，マニュアルを作成しています。それによると，参加者の住居などで行うIVASTセッションは平均週2時間程度の時間が使われますが，次の5段階からなっています。①スキル獲得練習，②参加者それぞれが日常生活でそのスキルでどのような目標を達成するかを明らかにする，③ふだんの生活で援助を受けながらスキルを応用する機会を明らかにする，④問題解決技能を活用して難しい状況を乗り切る練習をする，⑤宿題。5段階を通じて，実生活に応用することに多くの力が注がれていることがわかります。

　Glynnら（in press）による効果研究では，精神分裂病と診断された63名で，病状が安定している人に対して，60週間の認知行動療法（最初の24週間は週2回，1回90分の服薬および症状自己管理モジュール，次の12週間は週1回，90分の問題解決技能モジュール，最後の24週間は週1回60分の生活技能訓練）を行いました。この人たちを無作為に2群に振り分け，対象群は週1回自宅でも治療者と会い，治療施設で学習したスキルの実行を助けるために，宿題をいっしょに行ったり，スキル実施の適当な機会を話し合ったり，周囲にサポートしてくれる人を育てることなどを行いました。コントロール群は自宅でのセッションはありませんでした。その結果，社会生活能力（面接にもとづいて評価を行うSocial Adjustment Scale IIを使用），客観的QOL（Quality of Life Scale）が両群ともに改善を見たものの，対象群のほうが改善の度合いが大き

く，有意差がありました。

　Tauberら（2000）は85例の重篤な生活障害を持つ精神障害者に対して，6カ月間の認知行動療法プログラム（モジュールが中心）を実施しましたが，対象群は友人やグループホームの世話人など，本人の希望した人をスキル実施のサポーターとして，週1，2回スキルの実行について援助を受け，コントロール群はサポーターをつけませんでした（無作為振り分けではなく，プロジェクトの前半の参加者をコントロール群とし，後半の参加者を対象群とした）。両群とも6カ月後の時点で問題解決のスキルが改善していましたが，対象群ではその後12カ月までの間さらに改善がみられました。これはプログラム終了後もサポーターとのよい関係が持続し，ふだんの生活でも援助が受けられたため，般化が確実におこったと考察されています。社会適応水準（Global Assessment Scale）でも同様の結果が得られています。

　就労援助のための認知行動療法も注目されています。米国を中心として，職業リハビリテーションの分野では，実際の職場での職業訓練の方向，つまり従来のまず訓練してから就労させる"train-then-place"から，"place-and-train"へのアプローチの変更が進んでいます。この方法は，一般の労働者と同じ職場で，一定の給与を受け取りながら就労支援を受けるもので，過渡的雇用（transitional employment）と援助付き雇用（supported employment）がその代表的な方法です。地域での積極的支援プログラム（Program of Assertive Community Treatment, PACT）と援助付き雇用を併用することで，50％の就労率を確保したとの報告（Knoedler, 1994）があります。筆者は平成10年秋に地域での支援プログラム視察の目的で，米国ニューハンプシャー州の大マンチェスター精神保健センターを訪れましたが，そこで援助付き雇用で就労している人たちはわが国であればデイケアや作業所に通所しているであろう人たちでした。こうした就労援助を行うためには，何よりもノーマライゼーションの理念と制度的な保証（わが国ではまだまだ不十分）とが必要でしょう。Crowtherら（2001）はこれまでの無作為割付による就労援助研究（従来型の職業リハビリテーションと地域ケアとの比較が5研究，援助付き雇用と従来型の職業リハビリテーションの比較が5研究，援助付き雇用と地域ケアとの比較が1研究）をメタ分析しましたが，援助付き雇用のほうが一般就労にいたる率が高く，収入もより多かったと報告しています。

こうした新しい就労援助のなかで，職場で大切なスキル（たとえば，わからないことを雇用主にたずねる）について，生活技能訓練などでの援助が役立つと思われます。たとえば，多くの精神障害者は疲れやすい特徴がありますが，パートタイムで就労しても，皆より一足先に帰るのが申し訳ないなどといって，せっかくの短時間就労も本人にとって肩身が狭く感じられることがあります。こういう場合には，一足先に帰宅するときの上手な言葉かけや，職場で短時間の理由をきかれたときの対応の練習などが有用と思われます。Wallaceら（1999）は，援助付き雇用で就職できても，就労を維持できないことが問題であるとし，就労援助のためのモジュールを提案しています。このモジュールは，仕事をすることで生活がどう変化するか，どのような仕事に適性があるか，上司や同僚との関わり方，症状への対処，薬物維持療法を職場でどう続けるか，周囲の援助をどう引き出せるかなどについて，知識の提供とスキル練習を行います。こうしたプログラムと新しい就労援助方法を組み合わせることで，従来までの技術では困難であった，一般の職場での就労への道が開かれることが期待されています。

（3） 認知的リハビリテーション

精神分裂病では障害されている，注意維持，遂行機能，言語性記憶などの要素的な認知機能を，適切な教示や強化刺激などを用いて直接トレーニングする方法は，認知的リハビリテーション（cognitive remediation）などと呼ばれており，1990年代から研究報告が増えています。たとえば，特定の数字が出現したらボタン押しをする課題で，正答が出たらトークンがもらえる，トレーナーから社会的強化が得られるなどの方法で，選択的注意維持の練習を行うなどの方法です。

こうした認知的トレーニングによって，はたして生活障害の改善がもたらされるでしょうか。初期の研究では，認知的トレーニングによって，認知機能が実際に改善し，そして維持されることが報告されています。Wykesら（1999）は33例の分裂病患者を，対象群（毎日1時間，合計40日間の遂行・問題解決技能の訓練）またはコントロール群（同頻度の作業療法）に無作為に振り分けました。対象群では遂行機能の一部と一次性言語記憶の一部が有意に改善（12神経心理テストのうちの3テスト）しましたが，社会的な機能および精神症状の

改善については有意差がありませんでした。彼らは，もし遂行機能の改善が閾値に達すれば，たとえ短期間であったとしても生活障害の改善がみられるのではないかと推論しています。Spaulding ら（1998）はネブラスカ州で標準的治療では改善しない分裂病患者で，Community Transition Program 病棟入院患者91例を無作為に対象群（認知機能のトレーニングを実施）もしくは支持的集団精神療法に振り分け，6カ月間治療を行いました。両群とも通常のリハビリテーションのほか，UCLA・SILSプログラム（モジュール）にもとづいたSSTが実施されました。その結果，対象群では問題解決技能が有意に改善しました。著者らは臨床的観察にもとづいて，認知的介入は一部の患者のある回復段階において有用との感触があり，個々の患者にもとづく個別のプログラムが必要と述べています。また認知機能障害を，固定的で治療反応性に乏しいもの，状態像によって変化し薬物療法などに反応するもの，動作性記憶など，より高次の認知機能で精神病状態の改善によっては自発的に改善しないものにわけ，3番目の機能障害が認知リハビリテーションの標的ではないかと述べています。

　認知的トレーニングの実施期間についても検討されています。Hadas-Lidor ら（2001）は，48例のデイケア通所中の分裂病患者を認知的トレーニング群と伝統的な作業療法群に無作為に振り分け，1年間の介入期間の後，6カ月後まで追跡しました。対象群のほうが記憶など多くの認知機能が有意に改善し，就業状況と居住状態も有意に良好でした。日常生活のスキルについては有意差がありませんでした。著者らは，十分な機能の改善のためには介入の持続期間も重要としています。

　これまでの効果研究を概観すると，トレーニングを受けた特定の認知機能については，それがより要素的な注意維持の機能であれ，より統合的な遂行機能であれ改善することが確かめられていますが，それによって生活障害が改善するかどうかはまだ十分実証されていないといえます。どの認知機能が，どの社会的機能の limiting factor であるのか，すなわち認知的トレーニングの標的となる認知機能はどれであるのかということがまだ明確になっておらず，課題となっています。また，非定型抗精神病薬は従来型抗精神病薬と比較して，認知機能の改善が期待できることがわかっていますので，認知的トレーニングに非定型抗精神病薬を併用することによる効果が，今後注目されます。

Bellackら（1999）は，認知的トレーニングへの期待が，実際の成果よりも上回っていることを指摘したうえで，認知機能を改善するのではなく，認知機能への負荷を最小にするリハビリテーションの方法を提案しています。Velliganら（2000）も，社会的な機能がさまざまな認知機能と関連しており，また個々の認知機能も相互に高い相関を持っていることから，社会的な機能を改善するにあたって，特定の機能障害の改善を図るよりは，機能障害を代償する手段を講ずるほうがよいのではないかと述べています。筆者もまた，「生活の改善」という視点からは，こうしたいわば伝統的なリハビリテーションの有用性を実感しています。

（4） 家族への援助

　広くストレスへの対処を考える場合，直接本人に援助するのみではなく，生活する環境の調整を行うことは有力な介入手段です。なかでも心理教育的家族援助はこれまでに最も研究が進んでいる技法で，再発防止（もしくは遅延）効果が実証されています（Goldstein, 1995）。再発防止の観点だけでなく，患者との対応に疲れ果てていたり，周囲から責められると感じていたり，将来の絶望感に打ちひしがれている家族（患者を含む）への援助という視点が重要です。具体的には，①精神障害についての正確な情報の提供，②本人および家族が精神障害に対処していく能力の養成，③サポートされているという心理的な援助が3つの柱となります。②については認知行動療法のさまざまな技法，具体的には家族間のコミュニケーション練習，家族内での問題解決技能訓練，精神症状への対処練習などが用いられます。

　たとえばFalloonらの行動療法的家族援助では，患者も家族とともにプログラムに参加しますが，「患者」としてではなく，ハンディキャップのある家族の成員として扱われます。最初の9カ月は家庭でプログラムは実施され，まず精神分裂病についての知識や治療法についての心理教育を受けた後，家族全体の問題解決技能を高めるための援助を受けます。必要であれば家族のコミュニケーションスキルの練習も行います。当初の9カ月は1〜2週間に一度，その後は1カ月に一度の割合で1時間のセッションを行っています。

　治療計画の作成にあたっては，家族は本人を取り巻く重要な環境であり，貴重な社会的資源であり，同時に援助を必要としている人たちでもあることを忘

れてはいけないと思います。援助の形態（単一家族で行うのか複合家族か，患者を交えるかどうかなど）は，目の前にいる家族のニーズによって決められれば理想でしょう。疾病や治療についての十分な理解が得られればその後は家族の力で前に進んでいける場合，個々の家族の治療を行うことが求められる場合，家族の問題解決技能の練習を通じて困難な状況を乗りこえる援助が必要な場合，さらに家族間のコミュニケーションの改善が必要な場合などがあると思います。

　家族援助プログラムと認知行動療法とは同時に実施することで，お互いにメリットがあります。ことに家族同士のコミュニケーションや家族内の問題解決を図る際にはその威力を発揮します。家族の側からは，障害者本人の対処能力や対人技能がアップすることで，その負担や不安が軽減されるでしょうし，本人の側からは，練習したスキルを日常生活で活用していくうえで，家族の理解と協力は強力な援助となります。両方のプログラムを同じスタッフが実施できれば，こうした連携はずっと有機的なものになるでしょう。

　さらに障害者本人も家族の一員であるとの観点に立てば，服薬教室，病気についての理解，再発に対処するためのプログラム，家族相互のコミュニケーションなどは，家族全員で一緒に受けることが大きな意義を持ってくるように思えます。もともと家族向けのプログラムと障害者本人へのプログラムが，それぞれ独立したシステムとしてあるのではなく，一緒のシステムのなかでそれぞれの活用を考えるというやり方が，本来の包括的リハビリテーションかもしれません。治療が開始された時点から，家族ぐるみで必要な援助を行うシステムが発展することや，そのための技術を持った治療者が増えていくことが，今後の大きな課題といえます。

●文　献

Bellack, A.S., Gold, J.M., Buchanan, R.W., et al. 1999 Cognitive rehabilitation for schizophrenia: problems, prospects, and strategies. *Schizophrenia Bulletin*, 25, 257-274.

Birchwood, M. 1996 Early intervention in psychotic relapse: Cognitive approaches to detection and management. In G. Haddock & P.D. Slade (Eds.) *Cognitive-behavioural interventions with psychotic disorders*. London: Routledge, pp171-211.

Birchwood, M., McGorry, P. & Jackson, H. 1997 Early intervention in schizophrenia. *British Journal of Psychiatry,* 170, 2-5.

Carpenter, W.T. & Strauss, J.S. 1991 The prediction of outcome in schizophrenia. IV: Eleven-year follow-up of the Washington IPPS cohort. *Journal of Nervous and mental Disease,* 179, 517-525.

Crowther, R.E., Marshall, M., Bond, G.R., et al. 2001 Helping people with severe mental illness to obtain work: systematic revies. *BMJ* 322, 204-208.

Dworkin, R.H., Green, S.R., Small, N.E., et al. 1990 Positive and negative symptoms and social competence in adolescents at risk for schizophrenia and effective disorder. *American Journal of Psychiatry,* 147, 1234-1236.

Glynn, S.M., Marder, S.R., Liberman, R.P., et al. (in press) Supplementing clinic based skills training for schizophrenia with manualized community support: effects on social adjustment. *American Journal of Psychiatry.*

Goldstein, M.J. 1995 Psyochoeducation and relapse prevention. *International Clinica Psychopharmacology,* 9, suppl 5: 59-69.

Green, M.F. & Nuechterlein, K.H. 1999 Should schizophrenia be treated as a neurocognitive disorder? *Schizophrenia Bulletin,* 25, 309-318.

Hadas-Lidor, N., Katz, N., Tyano, S., et al. 2001 Effectiveness of dynamic cognitive intervention in rehabilitation of clients with schizophrenia. *Clinical Rehabilitation,* 15, 349-359.

Knapp, M., Marks, I., Wolstenholme, J., et al. 1998 Home-based versus hospital-based care for serious mental illness. *British Journal of Psychiatry,* 172, 506-512.

Knoedler, W. 1994 Comments on "individual placement and support." *Community Mental Health Journal,* 30, 207-209.

Kopelowicz, A., Wallace, C.J. & Zarate, R. 1998 Teaching psychiatric inpatients to re-enter the community: a brief method of improving the continuity of care. *Psychiatric Services,* 49, 1313-1316.

Liberman, R.P., DeRisi, W.J. & Mueser, K.T.（原著）　池淵恵美（監訳）1992　精神障害者のための生活技能訓練ガイドブック　医学書院

Liberman, R.P.（編）安西信雄・池淵恵美（日本語版総監修）1995　自立生活技能（SILS）プログラム　丸善　東京（注：症状自己管理，服薬自己管理，基本会話，余暇の過ごし方の4つのモジュールと，地域への再参加プログラム，行動療法的家族指導の教材，解説ビデオ等で構成されている）

Liberman, R.P., Blair, K.E., Glynn, S.M., et al. 2001 Generalization of skills training to the natural environment. In H.D. Brenner, W. Böker, R. Genner, (Eds.) *The treatment of schizophrenia: status & emerging trends.* pp104-120,

Seattle: Hogrefe & Huber.

McGlashan, T.H. 1988 A selective review of recent North America long-term follow up studies of schizophrenia. *Schizophrenia Bulletin,* 14, 512-542.

Meehl, P.E. 1989 Schizotaxia revisited. *Archives of General Psychiatry,* 46, 935-944.

Spaulding, W., Reed, D., Storzbach, D., et al. 1998 The effects of a remediational approach to cognitive therapy for schizophrenia. In T. Wykes, N. Tarrier, S. Lewis (Eds.) *Outcome and innovation in psychological treatment of schizophrenia.* pp145-160, Chichester: John Wiley & Sons.

Strauss, J.S. & Rochester, N.Y. 1974 The prediction of outcome in schizophrenia. II. Relationship between predictor and outcome variables: a report from the WHO international pilot study of schizophrenia. *Archives of General Psychiatry,* 31, 37-42.

Tauber, R., Wallace, C.J., Lecomte, T., et al., 2000 Enlisting indigenous community supporters in skills training programs for persons with severe mental illness. *Psychiatric Services,* 51, 1428-1432.

Velligan, D.I., Bow-Thomas, C.C., Mahurin, R.K., et al., 2000 Do specific neurocognitive deficits predict specific domains of community function in schizophrenia? *Journal of Nervous and Mental Disease,* 188, 518-524.

Wallace, C.J., Tauber, R. & Wilde, J. 1999 Teaching fundamental workplace skills to persons with serious mental illness. *Psychiatric Services,* 50, 1147-1153.

Wykes, T., Reeder, C., Corner, L., et al. 1999 The effects of neurocognitive remediation on executive processing in patients with schizophrenia. *Schizophrenia Bulletin,* 25, 291-307.

全国精神障害者家族会連合会　1993　精神障害者・家族の生活と福祉ニーズ'93——全国地域生活本人調査

サルコフスキスとバーチウッドを迎えて
——あとがきにかえて

テロを越えて

　2001年9月11日のアメリカの同時多発テロのニュースを聞いたとき，自分が何をしていたか，人ははっきり覚えているのではないでしょうか。筆者にとっては，サルコフスキスとバーチウッドを迎える準備をしているときでした。来日の前日，深夜に準備作業を終えて帰宅し，テレビをつけると，飛行機がビルに激突するシーンが繰り返し放映されていたのでした。

　空の交通はマヒし，海外旅行をキャンセルした人もたくさんいました。「これでふたりの来日はダメになった」と，筆者は覚悟を決めたのでした。しかし，こうした混乱の中，ふたりは日本に来てくれました。そして，多忙なスケジュールをこなしてくれたのでした。

　ふたりの臨床や研究に対するパワーはものすごいものがあり，あたかも英国臨床心理学の伝道師といったおもむきでした。ふたりは，何人ものプロのリサーチスタッフを率いて，チームで研究しているそうです。これは，日本では難しいことです。日本における臨床心理学の研究体制の貧弱さは明白でした。

　また，1章にも書いたとおり，発表のプレゼンテーションはすばらしいものがありました。欧米の臨床家は，一般に，プレゼンテーションのしかたが上手ですが，その理由のひとつは，ワークショップによって鍛えられているためでしょう。これはワークショップの通訳をしていただいた堀越勝さんの意見でもあります。ご自身が第一線のセラピストである堀越さんの通訳はたいへんわかりやすいものでした。

駒場ワークショップにて。サルコフスキスと堀越勝さんを囲む院生のスタッフ。

歌舞伎町とビル街

　サルコフスキスは，いろいろな国際学会の合間を縫って来日されたため，滞在期間は3日ほどでした。観光時間はほとんどとれず，都内を案内したり，デパートの屋上で盆栽を見たりといった程度のことしかできませんでした。よく渋谷の雑踏を見て「まるでお祭りの日のようだ」と形容されますが，サルコフスキスを案内した日は，本当に渋谷の道玄坂のお祭りの日でした。

　一方，バーチウッドの滞在期間は1週間ほどであり，鎌倉を案内したり，両国国技館で大相撲を見学したりする余裕がありました。琴光喜が優勝した場所でした。

　ふたりを新宿のビル街と歌舞伎町に案内する機会がありました。西洋人にとって，歌舞伎町の雑踏は，映画『ブレードランナー』に出てくるようなアジア的異世界と映るようです。その10日ほど前におきた歌舞伎町のビル火災の焼け跡も，そのような印象を強めたようでした。

　面白いのは，サルコフスキスが歌舞伎町を面白がったのに対して，バーチウッドは，新宿のビル街がお気に入りだったことです。これは，ふたりの対照的な人柄を反映しています。サルコフスキスは陽気で，つねにジョークを飛ばし，「シャワーを1回浴びればすぐに元気になる」と言うくらいタフでした。これに対して，バーチウッドは，もの静かで（お子さんといっしょに来日したこともあってか），まじめな英国紳士でした。

日本大学にて。後列左から丹野，バーチウッド，石垣琢麿さん。
前列左からバーチウッドのご子息のジェームズ君とダニエル君。

　ふたりの接待は，石垣琢麿さん，杉浦義典さんにお任せし，筆者の研究室の大学院生にも手伝ってもらいました。接待するほうは，その準備やら分刻みのスケジュールやらでたいへんでしたが，それなりの副産物もあったようです。

外人恐怖症の治療

　世界の臨床心理学では，日本に特異的な対人恐怖症（Taijin-Kyofu-Sho：TKS）が関心を呼んでいます。DSM-IVにも紹介されているほどです。筆者は，対人恐怖症と並んで，外人恐怖症（Gaijin-Kyofu-Sho：GKS）も日本人に特異的なのではないかと考えています。GKSの症状は，外国人からの回避行動です。英語で話しかけられてもどう答えてよいかわからないことが恐怖になります。英語でペラペラと話したいのに，そうする自信がないことからくる不安です。

　GKSの治療は簡単です。エクスポージャー法，つまり外国人と長時間接することが効果があります。このことは，サルコフスキスやバーチウッドを接待した大学院生を見ていてもわかりました。日頃外国人と接触したことのない院生は，はじめGKSを持っており，ふたりに近づかないようにしていました。しかし，何日間か接待をするうちに，堂々と会話するようになり，GKSはなくなったのでした。それ以降，大学院生たちは，国際学会などにも物怖じせずに出かけるようになりました。こうした副産物こそ，国際化に向けて筆者が期

待したものでした。

神戸での再会を約束して

　日本の心理学には国際化が必要です。臨床心理学の河合隼雄先生も,「英語第二公用語化」など,日本の国際化を主張しておられます。しかし,9月11日のテロ事件によって,国際化の流れが鈍ってしまったのは残念なことです。その意味でも,サルコフスキスとバーチウッドがテロを越えて来日したことの意義は大きいと思います。講演会やワークショップは大盛況であり,ふたりの来日が心理学の国際化に少しは寄与できたといえるでしょう。

　2004年には神戸で世界認知行動療法学会（WCBCT）が開かれます。サルコフスキスとバーチウッドは,2004年神戸での再来日を約束し,帰国しました。

　本書の出版にあたっては,金子書房編集部の真下清部長と渡部淳子さんにたいへんお世話になりました。心から感謝いたします。金子書房からのサルコフスキスの仕事の翻訳は,『認知行動療法——臨床と研究の発展』（坂野雄二・岩本隆茂監訳）に続いて2冊目になります。前書が理論編とするならば,本書は実践編にあたります。認知行動療法の理論について詳しくは前著も参照いただければ幸いです。

　2002年6月29日

丹　野　義　彦

ワークショップ講師

サルコフスキス Paul Salkovskis　3章

ロンドン大学精神医学研究所臨床心理学教授

ロンドン大学で臨床心理学の訓練を受け，ヨークシャーで臨床実践を行い，オックスフォード大学研究員となる。ここでデービッド・クラーク教授（現ロンドン大学）とともに，パニック障害や空間恐怖症の心理学的治療の研究を行っている。強迫性障害や心気症の認知理論と治療については，100編を越える論文を著しており，世界的に著名。学会誌"*Behavioural and Cognitive Psychotherapy*"の編集責任者をつとめてもいる。

邦訳には『認知行動療法――臨床と研究の発展』（坂野雄二・岩本隆茂監訳，金子書房），『パニック障害の心理的治療――理論と実践』（佐藤啓二・高橋徹編，ブレーン出版）がある。

バーチウッド Max Birchwood　5章

バーミンガム大学心理学部教授

バーミンガム大学で臨床心理学の訓練を受け，そこで臨床実践を続けている。現在はバーミンガム大学の教授をつとめるとともに，北バーミンガム心理保健機関に所属。この機関では，早期介入サービスの責任者，コンサルタント臨床心理士，研究責任者をつとめ，地域の心理医療サービスの仕事に携わっている。精神分裂病の症状（妄想や幻覚）に対する心理学的治療や早期介入を積極的に展開し，200編を越える論文や著書を著しており，世界的に著名。

邦訳論文には『認知臨床心理学入門』（丹野義彦監訳，東京大学出版会）がある。

執筆者 (執筆順)・訳者

丹野義彦(たんの よしひこ)　1 章執筆　編者

杉浦義典(すぎうら よしのり)　2 章執筆・3 章訳
広島大学大学院人間社会科学研究科准教授
1973年生まれ。東京大学教育学部教育心理学科卒。東京大学大学院教育学研究科博士課程修了。博士（教育学）。臨床心理士。
おもな著書　『ストレス対処から見た心配の認知的メカニズム』（風間書房），『講座臨床心理学　第3巻　異常心理学Ⅰ』（東京大学出版会，分担執筆），『アナログ研究の方法』（新曜社），『不安障害の臨床心理学』（東京大学出版会，分担執筆）。『臨床心理学研究の技法』（福村出版，分担執筆）。

石垣琢麿(いしがき たくま)　4 章執筆・5 章訳
東京大学大学院総合文化研究科教授
1964年生まれ。浜松医科大学医学部卒。東京大学大学院総合文化研究科博士課程修了。博士（学術）。精神保健指定医。精神科専門医。臨床心理士。
おもな著書　『幻聴と妄想の認知臨床心理学』（東京大学出版会），『講座臨床心理学　第4巻　異常心理学Ⅱ』（東京大学出版会，分担執筆），『認知行動療法100のポイント』（金剛出版，監訳），『妄想・幻声・パラノイアへの認知行動療法』（星和書店，共訳）。

池淵恵美(いけぶち えみ)　6 章執筆
帝京平成大学大学院臨床心理学研究科教授
1953年生まれ。東京大学医学部医学科卒。医学博士。
おもな著書　『統合失調症へのアプローチ』（星和書店），『わかりやすい生活技能訓練』『家族教室のすすめ方』（金剛出版，分担執筆），『SSTの進歩』（創造出版，分担執筆）。
おもな訳書　『精神障害者の生活技能訓練ガイドブック』（医学書院），『実践的精神科リハビリテーション』（創造出版），『精神障害と回復――リバーマンのリハビリテーション・マニュアル』（星和書店）。

堀越　勝(ほりこし まさる)　3 章訳
国立研究開発法人国立精神・神経医療研究センター認知行動療法センター特命部長
1956年生まれ。Ph. D. Licensed Clinical Psychologist（米国マサチューセッツ州）。
おもな著書・論文　「支持的精神療法」（『精神科研修ノート』診断と治療社，207-210），『こころを癒すノート』（創元社，共著），『精神療法の基本』（医学書院，共著），「認知行動療法をはじめる前に」（こころの科学，160, 37-42），「認知処理療法（CPT）：心的外傷後ストレス障害の治療法」（*Current Therapy*, 30(2), 76）。

毛利伊吹（もうり いぶき）　3章訳
　上智大学総合人間科学部心理学科准教授
　1963年生まれ。東京大学大学院総合文化研究科博士課程修了。博士（学術）。臨床心理士。
　おもな著書・論文　『認知臨床心理学からみた対人不安』（協同出版），「社会不安障害の社会的コストへの影響」（『社会不安障害治療のストラテジー』先端医学社，27-33）。

望月寛子（もちづき ひろこ）　5章訳
　国立研究開発法人農業・食品産業技術総合研究機構上級研究員
　1974年生まれ。筑波大学第二学群人間学類卒。東京大学大学院総合文化研究科博士課程修了。博士（学術）。
　おもな論文　"Structured floral arrangement programme for improving visuospatial working memory in schizophrenia."（*Neuropsychological Rehabilitation*, 20, 624-636），"A flexible sequential learning deficit in patients with Parkinson's disease: a 2×8 button-press task."（*Experimental Brain Research*, 202, 147-153）。

森本幸子（もりもと さちこ）　5章訳
　東北医科薬科大学教養教育センター心理学教室准教授
　1974年生まれ。筑波大学第二学群人間学類卒。東京大学大学院総合文化研究科博士課程修了。博士（学術）。臨床心理士。
　おもな論文　「大学生における被害妄想的観念への対処方略について」（心理学研究，78，607-612），「東北大学病院精神科SAFEクリニックでの早期介入～発症リスク状態への認知行動的アプローチを用いた支援」（思春期学，28，391-396）。

森脇愛子（もりわき あいこ）　3章訳
　帝京大学文学部心理学科専任講師
　1975年生まれ。東京大学文学部卒。東京大学大学院総合文化研究科博士課程修了。博士（学術）。臨床心理士。
　おもな著書　『自ら挑戦する社会心理学』（保育出版社，分担執筆），『心理学理論と心理的支援』（弘文堂，分担執筆），『対人的かかわりからみた心の健康』（北樹出版，共編著）。

佐々木　淳（ささき じゅん）　3章訳
　大阪大学大学院人間科学研究科准教授
　1975年生まれ。京都大学文学部人文学科心理学専修卒。東京大学大学院総合文化研究科博士課程修了。博士（学術）。臨床心理士。
　おもな論文　"Two cognitions observed in Taijin-kyofusho and social anxiety symptoms."（*Psychological Reports*, 98, 395-406），"Understanding Egorrhea from Cultural-Clinical Psychology."（*Frontiers in Psychology*, 4, 894），『大学生における自我漏洩感の心理学的研究：認知行動療法の視点から』（風間書房）。

菅　弥生（かん やよい）（早川弥生）　3章訳
　　東京大学医学部附属病院放射線科
　　1977年生まれ。東京大学教養学部生命・認知科学科認知行動科学分科卒。東京大学大学院医学系研究科博士課程修了。博士（医学）。信州大学医学部医学科卒。
　　おもな論文　"Recognition of emotion from moving facial and prosodic stimuli in depressed patients."（*Journal of neurology, neurosurgery, and psychiatry*, 75, 1667-1671）。

小堀　修（こぼり おさむ）　3章訳
　　国際医療福祉大学准教授
　　1977年生まれ。東京大学教育学部教育心理学コース卒。東京大学大学院総合文化研究科博士課程修了。博士（学術）。臨床心理士。Diplomate of Academy of Cognitive Therapy。
　　おもな論文　"Transporting Cognitive Behavioural Therapy (CBT) and Improving Access to Psychological Therapies (IAPT) Project to Japan: Preliminary observations and service evaluation in Chiba."（*Journal of Mental Health Training, Education and Practice*, 9, 155-166），"Patterns of reassurance seeking and reassurance-related behaviours in OCD and anxiety disorders."（*Behavioural and Cognitive Psychotherapy*, 41, 1-23）。

山崎修道（やまさき しゅうどう）　5章訳
　　東京都医学総合研究所　社会健康医学研究センター　心の健康ユニット　副参事研究員
　　1978年生まれ。東京大学教育学部教育心理学コース卒。東京大学大学院総合文化研究科博士課程修了。博士（学術）。臨床心理士。精神保健福祉士。
　　おもな論文　"Dissociation mediates the relationship between peer victimization and hallucinatory experiences among early adolescents."（*Schizophrenia Research: Cognition*, 2016: 4, 18-23），"Reduced gray matter volume of pars opercularis is associated with impaired social communication in high-functioning autism spectrum disorders."（*Biological Psychiatry*, 68, 1141-1147）。

竹下賀子（たけした よしこ）　5章訳
　　総務省
　　1978年生まれ。東京大学教育学部教育心理学コース卒。東京大学大学院総合文化研究科修士課程修了。修士（学術）。
　　おもな論文　「健常者の妄想傾向とマインド・リーディング能力について」（東京大学教育学部卒業論文）。

編　者

丹野義彦（たんの よしひこ）
東京大学名誉教授
1954年生まれ。東京大学文学部心理学科卒。群馬大学大学院医学研究科博士課程修了。医学博士，臨床心理士。
おもな著書・訳書に『エビデンス臨床心理学』（日本評論社），『講座臨床心理学全6巻』（東京大学出版会，共編），『認知臨床心理学入門』（東京大学出版会，監訳），『自分のこころからよむ臨床心理学入門』（東京大学出版会，共著），『統合失調症の臨床心理学』（東京大学出版会，共編）がある。

（執筆者・訳者・編者の所属肩書は原則として2021年12月現在）

認知行動療法の臨床ワークショップ
サルコフスキスとバーチウッドの面接技法

2002年9月30日　初版第1刷発行　　　　　　　　　　　　　　　　［検印省略］
2021年12月20日　初版第8刷発行

編　者	丹野義彦
発行者	金子紀子
発行所	株式会社　金子書房

〒112-0012東京都文京区大塚3-3-7
電話 03-3941-0111（代）
FAX 03-3941-0163
URL https://www.kanekoshobo.co.jp
振替 00180-9-103376

印刷　藤原印刷株式会社
製本　一色製本株式会社

Ⓒ Yoshihiko Tanno, et al., 2002
ISBN978-4-7608-3024-4　C3011　Printed in Japan

金子書房のお勧め図書

うつ病のためのメタ認知トレーニング（D-MCT）
解説と実施マニュアル

レナ・イェリネク　マリット・ハウシルト
シュテファン・モリッツ　著
石垣琢麿・森重さとり　監訳　原田晶子　訳
定価　本体6,800円＋税

心理療法の諸システム
多理論統合的分析〔第6版〕

ジェームズ・O・プロチャスカ
ジョン・C・ノークロス　著
津田　彰・山崎久美子　監訳
定価　本体28,000円＋税

ストレスや苦手とつきあうための認知療法・認知行動療法
吃音とのつきあいを通して

大野　裕・伊藤伸二　著
定価　本体2,000円＋税

グループディスカッション
心理学から考える活性化の方法

西口利文・植村善太郎・伊藤崇達　著
定価　本体2,400円＋税

完璧を求める心理
自分や相手がラクになる対処法

櫻井茂男　著
定価　本体2,200円＋税

無気力から立ち直る
「もうダメだ」と思っているあなたへ

櫻井茂男　著
定価　本体2,200円＋税

アニメーションの前向き行動力
主人公たちの心理分析

横田正夫　著
定価　本体2,700円＋税

子どもの自我体験
ヨーロッパ人における自伝的記憶

ドルフ・コーンスタム　著
渡辺恒夫・高石恭子　訳
定価　本体2,600円＋税